LES INSTITUTIONS UNIVERSITAIRES EN FRANCE

DU MÊME AUTEUR

Textes officiels et commentaires sur le censorat, 1 vol., in-8°, 1932, Imprimerie Coueslant, Cahors *(épuisé)*.

Pierre Chanet : Une psychologie de l'instinct et des fonctions de l'esprit au temps de Descartes, 1 vol., in-8°, 1937, Paul Hartmann, édit., Paris *(épuisé)*.

Le baccalauréat, 1 vol., grand in-8° de 1 040 pages, 12 planches hors-texte et un appendice de 8 pages, 1937, Librairie J.-B. Baillière & fils, édit., Paris (ouvrage couronné par l'Académie des Sciences morales et politiques).

Vues sur l'éducation française, 1 vol., in-8°, 1940, Fernand Nathan, édit., Paris.

Examens et concours, 1 vol., in-8°, 1943, Nouvelle Encyclopédie Pédagogique, Presses Universitaires de France, Paris.

Éducation nationale et Instruction publique, 1 vol., in-8°, 1944, Librairie J.-B. Baillière & fils, édit., Paris.

Jean Amos Comenius : La grande Didactique (introduction et traduction), 1 vol., in-8°, 1952, Presses Universitaires de France, Paris.

« QUE SAIS-JE ? »
LE POINT DES CONNAISSANCES ACTUELLES
Nº 487

LES
INSTITUTIONS
UNIVERSITAIRES
EN FRANCE

par

J.-B. PIOBETTA

Docteur ès Lettres
Inspecteur général de l'Instruction publique

PRESSES UNIVERSITAIRES DE FRANCE
108, Boulevard Saint-Germain, PARIS
—
1961

SEIZIÈME MILLE

DÉPOT LÉGAL

1re édition .. .. .. 2e trimestre 1951
2e — .. .. .. 2e — 1961

TOUS DROITS
de traduction, de reproduction et d'adaptation
réservés pour tous pays

© 1961, *Presses Universitaires de France*

AVANT-PROPOS

Il n'y a pas, ou plus précisément il n'existe plus, une Université de France. Quand on dit — et on le dit couramment — d'un Français qu'il est *professeur de l'Université* ou qu'il est pourvu du grade de *docteur de l'Université*, ou du titre d'*agrégé de l'Université*, on détermine des termes précis qui correspondent à des réalités par un terme vague qui ne correspond à rien. On est *professeur* à telle faculté, à tel lycée, à tel collège, on est *docteur ès lettres, ès sciences, en droit, en médecine*, on est *agrégé des facultés de droit, des facultés de médecine, des facultés de pharmacie, des lycées*. Et le ministre, qui a sous son autorité les établissements et le personnel de l'Enseignement public, est ministre de l'Éducation nationale : il n'est plus grand-maître de l'Université.

Mais si la France n'a plus une Université, elle a des universités et des institutions universitaires. Ce volume a pour objet de les faire connaître. On y trouvera donc, brièvement exposés, leur organisation, leur fonctionnement, les règlements fondamentaux qui les régissent, les examens et les concours auxquels elles préparent les grades, les diplômes et les titres qui en sont la sanction. On y trouvera aussi un aperçu de la structure de l'administration et de la hiérarchie universitaire. Mais on n'y trouvera pas les détails de l'organisation intérieure des établissements, la liste de leur personnel, leurs programmes d'études, ni ceux des examens qui en ouvrent l'accès ou qui en terminent le cours.

Tel est le contenu de ce petit livre dont on mesure exactement la portée et ce qu'il veut être. Il ne

retrace pas l'histoire de l'enseignement en France :
les rappels historiques n'interviennent que pour
aider le lecteur à comprendre pourquoi et comment
telle ou telle institution a été créée, s'est maintenue
et fortifiée.

Pour ceux qui rêvent de réformes, nous voudrions
qu'il contribue à les inciter, sinon au respect, du
moins à la connaissance de ce qui existe et a fait ses
preuves. Pour les autres, nous souhaitons qu'il
éveille leur curiosité à l'égard de nos institutions
universitaires et pour nous, après avoir servi ces
institutions pendant quarante-cinq ans, notre plus
cher désir est qu'on voie, dans notre travail, un
message d'adieu et de reconnaissance.

DEUXIÈME ÉDITION

Au cours de la décade qui s'est écoulée depuis la parution de
ce volume, de nombreuses et importantes modifications dont
il sera tenu compte dans la présente édition ont été apportées
tant aux structures administratives des institutions universitaires qu'au régime des études et à la procédure des examens.

Nous avions laissé entrevoir la plupart d'entre elles, car
elles nous paraissaient répondre, non seulement aux exigences
de l'évolution scientifique et aux besoins de la spécialisation,
mais aussi à l'esprit même de la loi du 10 juillet 1896 qui est
la charte des universités et, comme nous avions essayé de le
mettre en évidence, le souple instrument de leur efficacité et
de leur rayonnement, c'est-à-dire de leur adaptation à de
nouvelles tâches pour remplir une mission qui se veut de plus
en plus ample.

Aussi, avons-nous lu avec plaisir, mais sans surprise, dans
l'exposé des motifs du décret du 6 janvier 1959, qu' « à la
conception d'un système rigide » remplaçant « un système par
un autre » — chose théoriquement facile mais pratiquement
aventureuse — on a préféré celle d' « une transformation
continue et d'une adaptation permanente... en laissant
ouvertes toutes les possibilités et en conservant la souplesse
indispensable à l'invention et à la création » — méthode déli-
cate et difficile, mais plus sage et plus sûre.

Chapitre Premier

L'ENSEIGNEMENT SUPÉRIEUR
ET LA RECHERCHE SCIENTIFIQUE

Comme le faisait remarquer Jacques Cavalier dans un opuscule édité par l'*Institut international de Coopération intellectuelle* en 1936, il est assez difficile de comprendre l'état actuel de l'enseignement supérieur en France, si l'on ne se réfère pas un peu à l'Histoire.

Sans remonter plus loin, il importe de constater que la Révolution se trouva en présence d'universités qui, telles les Universités de Paris et de Toulouse, dataient du début du XIIIe siècle et comptaient parmi les plus anciennes du monde. Le Moyen Age les avait vues briller d'un vif éclat. Mais, dès le XVe siècle, pour de multiples raisons dont la principale est qu'elles n'avaient su ni provoquer, ni même suivre le mouvement de rénovation scientifique, elles végétaient dans la médiocrité. Aussi est-ce en dehors d'elles et même, pourrait-on dire, contre elles que François Ier, en 1530, créa aux portes mêmes de la Sorbonne, le Collège royal, devenu depuis Collège de France. C'est dans le même sens qu'au XVe siècle fut fondé le Jardin du Roi (aujourd'hui Muséum d'Histoire naturelle) consacré au développement des sciences naturelles.

Les assemblées révolutionnaires, non point parce qu'elles étaient hostiles à l'enseignement supérieur et à la recherche scientifique, mais parce qu'elles ne pouvaient tolérer l'existence de corporations vivant en marge de la nation, supprimèrent donc ces organismes en pleine décadence et abolirent jusqu'à leur nom d'universités. Issue de l'*Encyclopédie* et de la philosophie du XVIIIe siècle, la Révolution avait, du rôle de l'enseignement supérieur, une conception diamétralement opposée à celle qui avait fait la faiblesse des corporations universitaires. Elle le voyait comme une institution englobant l'ensemble de toutes les sciences théoriques et appliquées, faisant son domaine de tout ce qui peut être sujet d'études, de recherches et d'enseignement et aboutissant à un système cohérent intégré dans l'unité de la science.

Au sens large, le mot *université* ne signifie pas autre chose. On est surpris de constater que les hommes de la Révolution, au lieu d'appliquer leur principe, l'abandonnèrent pour s'orienter vers l'institution d'établissements restreints, nettement spécialisés et sans lien les uns avec les autres. C'est ainsi que furent créées, par la Convention, l'Ecole normale supérieure « pour apprendre à des citoyens déjà instruits dans les sciences utiles, sous les professeurs les plus habiles dans tous les genres, l'art d'enseigner » et l'Ecole polytechnique « destinée à instruire et à former pour les écoles d'application des grands services publics, civils et militaires, des élèves possédant des connaissances scientifiques étendues ».

Il devait appartenir à Napoléon Ier, chez qui, invinciblement, toutes les institutions se présentaient sous la forme hiérarchique et administrative, de détruire le passé en rejetant les formes anciennes des universités provinciales pour les fondre, en quelque sorte, dans l'unité de l'Université de France. Le statut du 17 mars 1808, portant organisation du nouveau système universitaire, faisait revivre le nom des anciennes facultés : Facultés de Théologie, de Droit, de Médecine, des Sciences, des Lettres, mais avec un caractère complètement différent tant au point de vue pédagogique qu'au point de vue administratif.

Au point de vue pédagogique, les nouvelles facultés étaient chargées d'assurer, non seulement l'enseignement « des sciences approfondies », mais aussi « la collation des grades ». Cette dernière mission montre clairement l'idée dominante du système napoléonien : s'agissant de pourvoir aux fonctions administratives et de recruter les cadres des carrières libérales, le gouvernement se proclamait responsable de l'exercice de ces professions et se réservait le monopole de la délivrance, à la suite d'examens institués par lui, des grades qui en ouvriraient l'accès. Au point de vue administratif, les facultés devenaient des organismes d'Etat, entièrement et directement administrés par l'Etat. A la tête de chacune, un doyen désigné représentait le pouvoir central. Le personnel était nommé par le gouvernement. De ses anciens privilèges, le corps des professeurs ne conservait que le droit de présenter des candidats pour pourvoir aux chaires vacantes.

Une telle organisation présentait de graves lacunes, notamment celle de rendre impossible toute relation pédagogique et administrative entre les différentes facultés d'une même ville. Chaque faculté vivait et fonctionnait comme si son action, ses recherches, son enseignement n'avaient aucun rapport avec l'enseignement, les recherches, l'action des autres facultés et des écoles spéciales qui se développaient à côté d'elles, sans elles. D'autre part, facultés et écoles spéciales, préoccupées surtout de préparer leurs élèves aux examens et aux concours donnant accès aux fonctions publiques et aux carrières libérales, restaient trop à l'écart du mouvement scientifique et ne s'ouvraient que lentement et difficilement aux disciplines nouvelles nées du progrès de la science ou du développement de la vie économique et sociale.

Dans un rapport relatif à la création d'une Faculté de Médecine à Reims, qui fut réalisée le 12 mars 1853, Victor Cousin avait nettement marqué la nécessité de remédier à ce que l'organisation napoléonienne avait d'excessif.

L'intention du gouvernement, déclarait-il, est de créer, sur quelques points de la France, un certain nombre de grands centres d'instruction supérieure qui puissent devenir des foyers de lumière pour les provinces où ils sont placés. Des facultés isolées peuvent avoir leur avantage ; mais la plus grande force de ces établissements se tire de leur réunion. Une Faculté de Droit ne peut guère se passer du voisinage d'une Faculté des Lettres, et une Faculté des Sciences est à la fois le fondement et le couronnement d'une Faculté de Médecine. C'est ainsi que toutes les connaissances humaines se lient et se soutiennent l'une l'autre et communiquent à ceux qui les cultivent une instruction solide et étendue, de véritables lumières. Il n'est pas non plus sans quelque intérêt social et politique de retenir dans nos provinces une foule de jeunes gens dont les talents, mûris dans les grandes écoles de leurs pays, peuvent tourner à son profit et concourir à former ou à fortifier cette vie provinciale, jadis si animée, aujourd'hui si languissante, et dont le retour serait un bienfait, sans aucun danger, dans la puissante unité de la France.

Cependant, malgré ses défauts, le système institué par Napoléon Ier se maintint, se développa même, jusqu'à la fin du Second Empire. C'est à cette époque seulement, en 1868, qu'un inspecteur général de l'Instruction publique, Victor Duruy, devenu ministre, créa l'Ecole pratique des Hautes Etudes pour faire, dans l'enseignement officiel, une place aux sciences que les facultés s'obstinaient à ne pas admettre dans leurs programmes. Cette mesure annonçait une réforme plus vaste des institutions de l'enseignement supérieur. La guerre de 1870 ne permit pas à Victor Duruy de l'accomplir.

Ainsi furent laissés à la IIIe République la charge et l'honneur de lancer l'Enseignement supérieur dans une voie nouvelle. Sous l'impulsion d'un jeune, mais tenace, directeur, Louis Liard, soutenu par un ministre plus jeune encore (le premier avait trente-huit ans, le second en avait trente-deux) et non moins tenace, Raymond Poincaré, le Parlement vota, le 10 juillet 1896, la loi fondamentale qui créait les universités françaises et les instituait telles qu'elles sont encore aujourd'hui. Préparée administrativement par une série de mesures législatives préliminaires : augmentation des crédits budgétaires et du personnel, constructions neuves, personnalité civile rendue aux facultés, groupement de celles-ci dans un Conseil général doté, lui aussi, de la personnalité civile, constitution du corps des facultés jouissant de l'autonomie financière, cette loi, modèle du genre par sa brièveté — elle ne comprend que quatre articles — « donnait un état civil authentique aux universités dont le vocable figurait pour la première fois dans un texte officiel ». Le Conseil général des Facultés d'un même ressort académique prenait le nom de Conseil de l'Université et se voyait chargé du jugement des affaires contentieuses et disciplinaires. Enfin, la loi stipulait — et c'est la disposition capitale — que chaque université aurait son propre budget auquel il serait fait recette des droits d'études, d'inscription, de bibliothèque et de travaux pratiques acquittés par les étudiants ; ces droits pouvant être affectés par elle aux « dépenses de laboratoire, bibliothèques et collections, constructions et entretien de nouveaux bâtiments, création de nouveaux enseignements, œuvres dans l'intérêt des étudiants ».

Ce qui caractérise les universités instituées par la loi du 10 juillet 1896, c'est que chaque université n'est ni, comme dans l'Ancien Régime, une corporation indépendante, ni, comme les facultés instituées par Napoléon Ier, un établissement public directement et entièrement dirigé par le pouvoir central. Jacques Cavalier fait observer :

L'Etat a détaché en quelque sorte de lui-même et donné une vie propre au corps des facultés. Il lui a attribué la personnalité civile et l'autonomie financière, tout ce qui caractérise essentiellement la vie d'un organisme, c'est-à-dire un budget qu'il administre avec son Conseil, lequel est une émanation des professeurs eux-mêmes. Chaque université, éta-

blissement public, constitue ainsi une personne morale, capable
de recevoir, de posséder, de gérer elle-même ses biens sous le
contrôle et la tutelle du pouvoir central.

Le budget de chaque université est alimenté
d'abord par les droits perçus sur les étudiants, ensuite par une subvention de l'Etat, enfin par les
subventions, les dons et les legs provenant soit des
pouvoirs locaux, départements et communes, soit
des chambres de commerce et des sociétés, soit des
particuliers. C'est avec ces ressources d'origine di-
verse et d'importance variable que chaque université doit désormais assurer ses dépenses matérielles
de fonctionnement, créer des enseignements nouveaux, des emplois, des laboratoires et, d'une façon
générale, mettre en œuvre tout ce qui peut contribuer
à lui permettre de remplir sa mission qui est de faire
la science et de la propager en l'enseignant.

Ainsi aux facultés groupées en universités, la loi
du 10 juillet 1896 a apporté des libertés nouvelles,
sans toucher à aucune des prérogatives essentielles
dont elles jouissaient. Les facultés continuent, en
effet, à être chargées de distribuer les divers enseignements préparant à des grades d'Etat et de faire
passer les examens à la suite desquels l'Etat confère
ces grades. A côté d'un personnel qui leur est propre,
elles conservent un personnel qui continue à être un
personnel d'Etat, payé par l'Etat. De telle sorte que
l'organisation actuelle des universités françaises se
présente comme une synthèse de deux conceptions :
l'une qui les rattache au passé avec le rôle de l'Etat
très important, sinon prépondérant, l'autre qui leur
laisse assez d'initiative et de liberté pour que le rôle
de l'Etat puisse se borner à l'exercice d'un contrôle.
La première conception est celle qui avait prévalu
pour l'institution des facultés en 1808, l'autre est
celle qui caractérise l'institution des universités an-

glo-saxonnes. Sans doute, les facultés gardent-elles encore en France, au sein de chaque université, leur individualité et leur organisation propre : l'unité voulue par la loi du 10 juillet 1896 n'est pas encore complètement réalisée. Mais peu à peu, leur vieil esprit particulariste fait place à l'esprit de coopération qui seul peut donner à leur groupement en universités l'efficacité et le rayonnement que recherchaient les auteurs de la loi du 10 juillet 1896 (1).

Cet esprit de coopération est d'autant plus indispensable que la nécessité s'impose, de plus en plus, aux universités d'étendre leur mission au delà de l'enseignement des connaissances acquises et de consacrer une large part de leur activité à enseigner les méthodes grâce auxquelles la science se fait, c'est-à-dire à la recherche scientifique. Pendant longtemps, la recherche scientifique, du moins celle qui n'est pas systématiquement orientée vers les applications immédiates, a été, en France, intimement liée à l'Enseignement supérieur. La liaison était si étroite que la divulgation des acquisitions réalisées dans le domaine du savoir et la recherche d'acquisitions nouvelles se confondaient dans le même système didactique. Mais, peu à peu, le développement de la science a exigé des laboratoires de plus en plus vastes et de plus en plus nombreux, un outillage sans cesse renouvelé et des spécialistes toujours plus qualifiés. On a été ainsi amené à mettre au service des savants, professeurs de l'enseignement supérieur ou non, divers moyens d'action dont l'enseignement proprement dit n'avait pas besoin et qu'il ne pourrait pas fournir. Ce fut l'ob-

---

(1) En application d'instructions récentes, des « départements » groupant les enseignements et les recherches qui relèvent d'une même discipline ou de disciplines voisines peuvent être créés dans les établissements d'enseignement supérieur après avis des assemblées et des conseils des facultés et des établissements.

jet de la *Caisse des Recherches scientifiques* créée, en 1901, pour seconder les efforts poursuivis dans le sens des applications de la science au bien-être des hommes. Et comme ces applications ne peuvent intervenir que si, au préalable, les recherches désintéressées et les travaux de science pure ont abouti à des résultats valables, la Caisse, administrée par un Conseil composé de membres élus par divers corps constitués et de membres de droit, devait fournir, d'une part aux chercheurs, des subsides pour leurs frais de laboratoire, d'autre part aux savants, des subventions pour la publication d'ouvrages.

Une vingtaine d'années après, était institué l'*Office national des Recherches scientifiques et industrielles et des Inventions*, établissement public doté de la personnalité civile et de l'autonomie financière, destiné à provoquer, coordonner et encourager les recherches scientifiques de tout ordre se poursuivant dans les établissements d'enseignement supérieur ou entreprises par des savants en dehors de ces établissements, à développer et à coordonner spécialement les recherches scientifiques appliquées au progrès de l'industrie nationale, ainsi qu'à assurer les études demandées par les services publics et à aider les inventeurs. Puis, en 1930, intervenait la création de la *Caisse nationale des Sciences* dont le but était de venir en aide aux savants dans le besoin et à leurs familles, d'encourager et de faciliter les recherches scientifiques en déchargeant les chercheurs de mérite éprouvé du souci de subvenir à leur subsistance et à celle des leurs, pour leur permettre de se consacrer entièrement à la science. Les allocations attribuées aux chercheurs n'exerçant aucune autre activité et prenant l'engagement de consacrer tout leur temps à la recherche scientifique furent fixées, en principe, au montant des traitements du personnel enseignant de l'enseignement supérieur. Les jeunes gens désireux de se consacrer à la science pouvaient recevoir une *bourse de recherche* égale au traitement d'un assistant de l'Université de Paris. Pour les chercheurs offrant la garantie d'un passé de travail efficace, la Caisse disposait d'allocations de *chargé de recherches* (de l'ordre du traitement d'un chef de travaux de l'Université de Paris) ou de *maître de recherches* (de l'ordre du traitement de maître de conférences de l'Université de Paris). Enfin, les savants célèbres par leurs découvertes pouvaient être nommés *directeurs de recherches* avec une allocation égale au traitement d'un professeur de l'Université de Paris.

La création de cette Caisse avait ainsi pour effet la constitution d'un personnel voué à la recherche scientifique et libéré du souci de demander à un autre métier ses moyens d'existence, sans pour autant aboutir à la formation d'un corps de nouveaux fonctionnaires dont la stabilité aurait été en opposition avec le caractère même de l'institution. D'autre part, elle complétait la Caisse des Recherches scientifiques qui intervenait seulement pour des dépenses de matériel. Cependant un décret-loi réunissait, cinq ans après, les deux organismes en un seul établissement public doté de la personnalité civile et de l'autonomie financière, dénommé *Caisse nationale de la Recherche scientifique*, et un autre décret-loi créait, le 19 octobre 1939, le *Centre national de la Recherche scientifique*. Une telle mesure marquait une étape importante dans l'évolution de la tendance à la coordination et à la fusion des divers organismes consacrés à la recherche pure ou à la recherche appliquée. Néanmoins, la nouvelle institution comportait encore deux sections : l'une de recherche pure, l'autre de recherche appliquée, ayant chacune leurs conseils, commissions et comités respectifs. A côté du Centre était institué un haut-comité appelé à suggérer l'orientation générale à donner à la recherche. Placé auprès du ministre de l'Education nationale, ce haut-comité n'avait que des attributions consultatives. Il n'était pas intimement mêlé à l'activité du Centre national de la Recherche scientifique. Malgré l'indéniable effort d'unification et de simplification qu'elle constituait, la création de cet établissement laissait donc subsister un certain nombre d'organismes juxtaposés dont les activités étaient encore insuffisamment coordonnées (1).

Mais il devait appartenir à l'ordonnance du 2 novembre 1945 et à la loi du 2 juin 1948 de fixer dans ses grandes lignes la réorganisation de la recherche scientifique et de l'associer plus étroitement aux institutions universitaires.

Nous lisons dans l'exposé des motifs :

Les attributions du Centre restent en général ce qu'elles étaient sous le régime du décret du 19 octobre 1939. Elles comportent cependant une disposition nouvelle, donnant au Centre mission d'organiser un enseignement préparatoire à la recherche... En ce qui concerne le fonctionnement du Centre, la présente ordonnance tend à associer étroitement à la vie de l'établissement les savants et les chercheurs les plus représentatifs de la science française. La réunion de ces personnalités constituera un *Comité national de la Recherche scientifique*, divisé en sections correspondant aux divers domaines de la recherche pure et appliquée. Le Comité national aura pour mission essentielle de définir, en session plénière, la ligne géné-

---

(1) Le 10 mars 1941, une loi de l'autorité se disant « gouvernement de l'Etat français » abrogeait le décret du 19 octobre 1939 et supprimait la division du Centre en deux sections pour ne laisser subsister, à côté du directeur et du Conseil d'administration, que les commissions consultatives appelées à donner leur avis sur les questions scientifiques et techniques.

rale des recherches et les méthodes de travail. A chaque section incombera la tâche d'orienter et de développer les recherches relevant de sa compétence. Ainsi le Comité national ne sera pas un organisme purement consultatif, mais constituera une assemblée délibérante et agissante qui assumera de véritables responsabilités et participera effectivement par l'intermédiaire de ses sections et de commissions composées de membres des diverses sections, à la réalisation des programmes généraux élaborés en séance plénière.

Un Directoire choisi parmi les membres du Comité national assurera de façon permanente la direction scientifique du Centre. C'est à lui qu'il appartiendra notamment de coordonner les projets des sections et commissions, de fixer l'ordre d'urgence de leur réalisation et d'adapter à l'ensemble de ces travaux les ressources de l'établissement. Les membres du Directoire seront également membres de droit du Conseil d'administration du Centre, qui conserve l'essentiel de ses attributions antérieures. Ainsi sera établie une liaison étroite entre la gestion administrative et financière de l'établissement et sa direction scientifique. Enfin, l'exécution des décisions prises par les divers organismes qui concourent à la vie du Centre est assurée par le directeur, président du Comité national et du Directoire...

Ces dispositions font disparaître la séparation entre les recherches pures et les recherches appliquées qu'avait laissé partiellement subsister le décret du 19 octobre 1939 ; elles marquent ainsi la continuité qui existe entre la science pure et ses applications de tout ordre. En associant à l'activité de l'établissement les savants et les chercheurs les plus qualifiés et les plus actifs, en faisant d'eux non plus de simples conseillers, mais des collaborateurs réels, cette ordonnance introduit dans le statut de la recherche un nouvel élément de force et de cohésion.

C'est aux universités que le décret du 11 juin 1949, pris en application de l'ordonnance du 2 novembre 1945 et de la loi du 2 juin 1948, demande d'apporter ce nouvel élément de force et de cohésion au Centre national de la Recherche scientifique réorganisé. Aux termes de ce décret, la plupart des membres du Comité national de la Recherche scientifique sont en effet recrutés soit par voie de nomination, soit par voie d'élection, parmi les professeurs, maîtres de conférences, chefs de travaux, assistants des facultés et parmi les membres du personnel assimilable appartenant à tous les établissements d'enseignement supérieur et de recherche relevant du ministère de l'Education nationale (1).

Ainsi, par le rôle qu'il est appelé à jouer dans l'activité du Centre national de la Recherche scientifique, l'enseignement supérieur, tout en conservant sa mission enseignante et la prérogative de délivrer les grades d'Etat, devient le grand régulateur de l'activité scientifique française comme l'avaient conçu, théoriquement, en 1790, les hommes de la Révolution et, implicitement en 1896, les organisateurs des universités.

C'est ce que précise le décret du 6 janvier 1959 en spécifiant que l'enseignement supérieur a un quadruple objet :

a) Contribuer au progrès de la science, à la formation des chercheurs et au développement de la recherche scientifique, littéraire et technique ;

b) Dispenser la haute culture scientifique, littéraire et artistique ;

c) Préparer aux professions exigeant à la fois une culture étendue et des connaissances approfondies, contribuer notamment à la préparation des maîtres en leur donnant une formation scientifique et en participant à leur formation pédagogique ;

d) Prendre part, au niveau le plus élevé, à l'éducation culturelle et au perfectionnement professionnel.

(1) Le décret du 9 décembre 1959 réglemente la composition, les attributions et le fonctionnement de ce Comité ainsi que du Conseil d'administration et du Directoire du Centre national de la Recherche scientifique.

Chapitre II

LA COMPOSITION ET L'ADMINISTRATION DES UNIVERSITÉS

Les universités, établissements publics, sont régies par un statut et des règlements publics. La loi du 10 juillet 1896, les décrets du 21 juillet 1897 et du 31 juillet 1920 constituent leur charte.

Aux termes du décret du 31 juillet 1920, « les universités sont formées de la réunion de tous les établissements publics d'Enseignement supérieur dépendant du ministère de l'Instruction publique (aujourd'hui de l'Education nationale) dans le ressort de l'Académie où est le siège de ces universités », à l'exception des grands établissements scientifiques de Paris et de ceux qui relèvent directement de la Direction des Beaux-Arts et de la Direction de l'enseignement technique. Une université est ainsi composée tout d'abord des Facultés (Droit et Sciences économiques, Médecine, Sciences, Lettres et Sciences humaines, Pharmacie) ensuite de la bibliothèque, parfois d'un observatoire, d'une ou de plusieurs Écoles de Médecine, d'Instituts, etc. (1).

Il existe autant d'universités que de ressorts académiques (2), soit dix-sept : Aix, Alger, Besançon,

---

(1) Les anciennes dénominations, Faculté de Droit et Faculté des Lettres, ont été remplacées par Faculté de Droit et des Sciences économiques (décret du 26 août 1958) et par Faculté des Lettres et des Sciences humaines (décret du 23 juillet 1958).
(2) Voir note à la fin du chapitre.

Bordeaux, Caen, Clermont, Dijon, Grenoble, Lille, Lyon, Montpellier, Nancy, Paris, Poitiers, Rennes, Strasbourg, Toulouse. Toutes ces universités n'ont ni la même importance, ni la même composition. Il en est qui n'ont pas toutes les facultés. Par contre, l'Université de Strasbourg, outre les cinq facultés, possède une Faculté de Théologie catholique et une Faculté de Théologie protestante.

Mais quelle que soit la composition d'une université, la faculté en est la cellule fondamentale. Dotée de la personnalité civile et de l'autonomie financière, c'est-à-dire d'un budget propre et des moyens de le gérer, chaque faculté est dirigée par un Conseil qui délibère sur le budget, l'acceptation des dons et legs, l'utilisation des revenus, donne son avis sur les déclarations de vacances des chaires et présente les candidats aux chaires vacantes. Le *Conseil de faculté* est présidé par le doyen qui exécute ses délibérations et administre la faculté. A côté de ce Conseil fonctionne une autre assemblée plus large : l'*Assemblée de la faculté*, qui comprend, outre les professeurs titulaires, les maîtres de conférences et les agrégés. Cette assemblée, dont les attributions sont strictement pédagogiques, délibère obligatoirement sur toutes les questions relatives à l'organisation de l'enseignement et de la scolarité.

Les facultés sont des organismes qui tiennent d'un long passé des traditions et, comme nous le verrons, des règles assez strictes, notamment pour le recrutement du personnel enseignant. Pour atténuer les inconvénients d'une telle situation, qui a par ailleurs de réels avantages, les facultés elles-mêmes et les universités ont été conduites à créer des organismes nouveaux moins rigides, plus aptes à suivre l'évolution de la science, et répondant mieux à des besoins nés de la tendance de plus en plus marquée à la spécialisation. Ces organismes, ce sont tous les instituts d'université quand ils sont communs à plusieurs ou à toutes les facultés, et les instituts de faculté quand ils sont propres à une seule faculté. Le terme choisi pour leur dénomination n'a pas un sens précis et peut-être eût-il mieux valu en adopter un autre comme celui de collège, à moins qu'on n'ait voulu marquer que ces organismes sont des institutions mineures sous la tutelle d'institutions majeures. Quoi qu'il en soit, les instituts ont reçu leur existence juridique du décret du 31 juillet 1920 et, sous le mot qui les désigne, se rangent des organismes assez différents.

Tantôt un institut n'est qu'une partie d'une faculté, un *department* comme on dit dans les universités anglo-saxonnes. C'est le cas, par exemple, des instituts de langues classiques ou de langues vivantes ou d'histoire de l'art, etc. Tantôt un institut est un véritable collège spécial dont l'enseignement s'ajoute aux enseignements classiques et fondamentaux d'une ou de plusieurs facultés. Ainsi l'*Institut des Sciences financières et d'Assurance*, créé à Lyon en 1930, pour la formation des actuaires, est annexé à la fois à la Faculté de Droit et à la Faculté des Sciences. D'autre part, certains instituts — tels un grand nombre de ceux qui dépendent de l'université de Paris — coordonnent et associent les enseignements et les ressources des facultés et de l'université avec les ressources et les enseignements d'autres établissements qui ne font pas partie de l'université comme le Collège de France, l'Ecole des Langues orientales, etc. Enfin, des mesures récentes ont permis à certaines facultés et à certaines universités de transformer quelques-uns de leurs instituts en *Ecoles nationales supérieures d'Ingénieurs* marquant par là que l'Enseignement supérieur n'entend pas rester étranger au domaine de la recherche appliquée à l'industrie. Notons aussi que certaines universités possèdent des instituts dans les pays de l'ex-France d'outremer et à l'étranger. D'une façon générale, les conditions de fonctionnement d'un institut varient en fonction des besoins et des ressources.

Les *Ecoles de Médecine et de Pharmacie*, qui étaient des institutions municipales entièrement à la charge des villes où elles se trouvaient, ont été transformées, en 1956, en Ecoles

nationales de Médecine et de Pharmacie. La prise en charge
par l'Etat des traitements du personnel de ces écoles qui
étaient inscrits dans le budget municipal, a permis d'instituer
un recrutement national et d'appliquer le règlement en vigueur
dans les facultés pour la création des chaires et la nomination
des professeurs. Ces Ecoles ont le régime administratif des
instituts d'Université. Leur Conseil est présidé par le recteur.
La faculté de rattachement, qui est représentée dans ce
Conseil, a le contrôle scientifique de l'Ecole et délivre le diplôme
terminal.

Outre ces organismes, chaque université possède une *bibliothèque* et plusieurs un *observatoire*. Mais bibliothèques et
observatoires — sauf celui de Paris qui a une existence indépendante de l'université — ne jouissent pas de l'autonomie
financière. Leur budget fait partie intégrante de celui de
l'université.

Chaque université est administrée par un conseil
dit *Conseil de l'Université* placé sous la présidence du
recteur et composé des doyens des facultés, de professeurs élus à raison de deux par chaque faculté, du
directeur de l'Ecole de Médecine, du directeur de
l'Observatoire et de trois ou quatre membres n'appartenant pas au personnel régulier de l'université,
mais présentés par le Conseil lui-même, choisis parmi
les personnalités locales qui s'intéressent à la vie de
l'université et nommés par le recteur. Les délégués
des étudiants participent aux travaux du Conseil
lorsque, pour résoudre des problèmes intéressant
particulièrement la vie des étudiants et leurs études,
le recteur juge opportun de les convoquer. Au total,
le Conseil comprend, suivant la constitution de l'université, entre douze et vingt membres, la plupart élus
par le corps enseignant, de telle sorte que, dans son
ensemble, il représente bien le personnel même de
l'université. Le Conseil de l'Université connaît et
doit être saisi de tout ce qui touche l'administration
de l'université. Son rôle va, suivant les questions, des
décisions définitives aux délibérations soumises à

l'approbation du ministre de l'Education nationale, de la transmission d'un avis obligatoirement demandé à l'émission d'un simple vœu. Aux termes du décret du 21 juillet 1897, complété et modifié par le décret du 23 juillet 1922, le Conseil statue :

a) Sur l'administration des biens de l'université ; sur la réglementation des cours libres ; sur l'institution d'œuvres en faveur des étudiants ; sur la répartition, entre les étudiants des facultés et écoles de l'université, des dispenses de droits prévus par les lois et règlements ; sur la répartition des jours de vacances dans le cours de l'année scolaire ; sur les acquisitions, aliénations et échanges des biens de l'université ; sur les baux d'une durée de plus de dix-huit ans ; sur les règlements relatifs aux dispenses des droits perçus au profit de l'université ; sur l'acceptation des dons et legs faits sans charges, conditions, ni affectations immobilières et sans réclamation des familles ;

b) Sur les offres de subventions ; sur l'exercice des actions en justice ; sur l'organisation et la règlementation des cours, conférences et exercices pratiques communs à plusieurs facultés ; sur l'organisation générale des cours, conférences et exercices pratiques proposés pour chaque année scolaire par les facultés, instituts et écoles de l'université. Le tableau général des cours, conférences et exercices pratiques est établi par le Conseil avant le 1er juillet. Il doit comprendre tous les enseignements institués pour la préparation aux grades d'Etat. Les décisions prises par le Conseil sur toutes ces questions sont définitives. Elles ne peuvent être annulées que pour excès de pouvoir ou pour violation d'une disposition légale ou réglementaire. L'annulation peut être prononcée, dans le délai d'un mois, à la diligence du recteur, par arrêté du ministre, après avis de la section permanente du Conseil supérieur de l'Education nationale. Les décisions contenues au paragraphe *b* doivent être communiquées au ministre aussitôt après la délibération du Conseil. Toutes les décisions, quel qu'en soit l'objet, doivent être mentionnées dans le rapport annuel du Conseil.

Le Conseil délibère, aux termes des mêmes décrets, sur les emprunts ; sur l'acceptation des dons et legs faits avec charges, conditions et affectations immobilières ou donnant lieu à des réclamations des familles ; sur les créations d'enseignement rétribuées sur les fonds de l'université ; sur l'institution et la

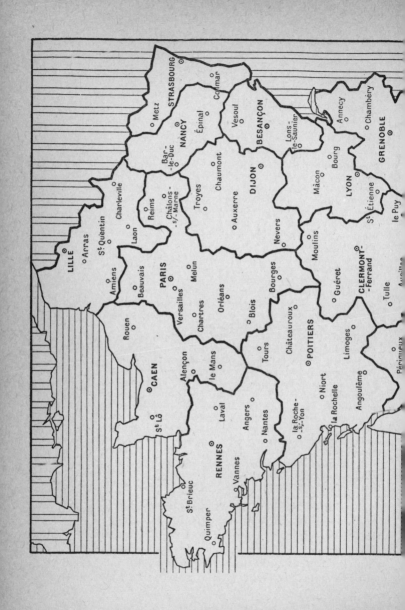

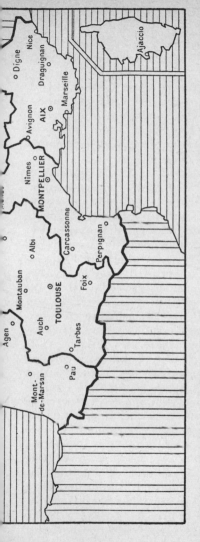

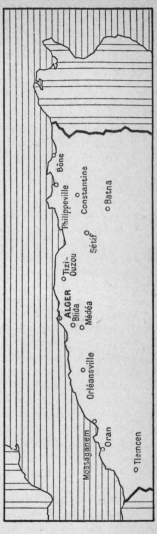

Les Universités françaises

réglementation des titres prévus à l'article 1er du
décret du 21 juillet 1897 ; sur les règlements relatifs
aux services communs à plusieurs facultés (les services communs comprennent, outre la bibliothèque
universitaire, les services qui, pour chaque université, ont été déclarés tels par arrêté du ministre
après avis du Conseil). Les délibérations prises par
le Conseil sur ces matières ne sont mises à exécution
qu'après l'approbation du ministre.

Le Conseil donne son avis : sur les budgets et
comptes de l'université ; sur les budgets et comptes
des facultés ; sur les créations, transformations ou
suppressions des chaires rétribuées sur les fonds de
l'Etat ; sur toutes les questions qui lui sont soumises
par le recteur ou par le ministre. Tout membre du
Conseil a le droit d'émettre des vœux sur les questions relatives à l'enseignement supérieur. Les
vœux sont remis par écrit au président. Il en est
donné lecture au Conseil qui, dans la séance suivante, décide s'il y a lieu de les prendre en consi-
dération. Enfin, le Conseil connaît toutes les questions disciplinaires concernant les membres de
l'enseignement supérieur et les étudiants, y compris
les candidats au baccalauréat de l'enseignement
secondaire. Quand il juge un étudiant, les représentants élus des étudiants sont appelés à siéger avec
voix délibérative. Il peut être interjeté appel de ses
décisions en matière disciplinaire devant le Conseil
supérieur de l'Education nationale. Mais l'appel n'a
pas d'effet suspensif. L'action disciplinaire exercée
par le Conseil est indépendante de l'action des
tribunaux. Les peines vont de la réprimande à
l'exclusion perpétuelle de tous les établissements
d'enseignement publics et privés.

Le *personnel* de chaque université est divisé en
trois catégories : La première, qui est de beaucoup la

plus importante, comprend le personnel d'Etat, payé directement par l'Etat sur les crédits votés, chaque année, par le Parlement. La deuxième catégorie est constituée par le personnel d'université. Les universités peuvent, en effet, comme nous l'avons vu, créer sur leurs propres fonds, des emplois identiques aux emplois d'Etat et dont les titulaires, bien que payés par l'université, ont les mêmes prérogatives que leurs collègues exerçant, à la charge de l'Etat, les mêmes fonctions. La troisième catégorie est composée d'un personnel appointé par les universités ou par les facultés pour des tâches qui ne correspondent pas à des emplois réguliers ou permanents. Ceux qui occupent ces emplois ne sont pas des fonctionnaires et n'en ont pas les garanties. Les universités les recrutent, les nomment, fixent leur rétribution, la durée de leur engagement. Le gouvernement n'exerce un contrôle qu'en vertu de son droit de tutelle.

L'ensemble du personnel est placé, dans chaque université, sous l'autorité des *doyens* et du *recteur*.

Le doyen d'une faculté est nommé, pour une période renouvelable de trois ans, par le ministre de l'Education nationale, sur la double présentation de la faculté et du Conseil de l'Université. Chaque présentation doit comprendre deux noms et ne porter que sur des professeurs titulaires. Tout le personnel enseignant de la faculté, professeurs titulaires, agrégés, maîtres de conférences participent à l'élection. Le choix du ministre, sauf exception justifiée par des motifs graves, se porte sur le candidat qui a obtenu le plus de suffrages. Il en résulte qu'en fait, ce sont presque toujours les facultés elles-mêmes qui choisissent leur administrateur parmi leurs membres. Secondé par un assesseur également nommé par le ministre parmi les deux représentants de la faculté au Conseil de l'Université, le doyen est chargé de l'administration intérieure de la faculté. Il la représente dans tous les actes de la vie civile, il en gère les biens, en prépare le budget, assure l'organisation des cours, des examens et le respect de la discipline générale, tout en continuant à donner son enseignement.

Le rôle et la situation du recteur offrent un caractère qui est particulier aux institutions universitaires françaises. Le recteur est bien le chef de l'université. Il en préside le Conseil et il la représente dans tous les actes de la vie administrative et civile. Mais en même temps, il est, dans la circonscription territoriale qu'on désigne sous le nom d'académie, le représentant du ministre, exerçant son autorité sur tous les établissements d'enseignement (premier degré, second degré, technique, supérieur) et sur tout ce qui relève du ministère de l'Education nationale. Son titre officiel est « Recteur de l'Académie, président du Conseil de l'Université ». Ainsi le recteur a une double mission : d'une part, il représente la puissance publique en tant que fonctionnaire d'autorité dans le ressort académique dont il a la charge, d'autre part, il représente le corps particulier qu'est l'université.

On comprend par là que la désignation des recteurs, au lieu d'être comme celle des doyens, soumise à la procédure de l'élection, fasse l'objet, sur proposition du ministre de l'Education nationale, d'un décret pris en Conseil des ministres. La seule condition à remplir pour être proposé par le ministre est d'être pourvu du grade de docteur d'Etat en une discipline quelconque. Cette condition est exigée seulement depuis le décret du 22 août 1854. Le décret du 17 mars 1808 spécifiait simplement que le grand-maître de l'Université devait choisir les recteurs parmi les officiers des académies et les nommer pour cinq ans renouvelables. Peu à peu une tradition s'est établie qui fait que les recteurs sont pris presque toujours parmi les professeurs titulaires des facultés des lettres ou des sciences et spécialement parmi ceux qui ont exercé les fonctions de doyen, exception faite pour le rectorat de l'Académie de Paris qui est parfois confié à l'un des directeurs d'enseignement en fonctions au ministère et remplissant la condition initiale de titulaire du doctorat d'Etat. La tendance est aussi de ne pas nommer à la tête d'une université un professeur de cette même université.

C'est pour des raisons historiques que les auteurs de la loi du 10 juillet 1896, portant institution des universités, ont adopté cette procédure qui est spéciale à la France. Les recteurs, nous l'avons vu, existaient avant l'intervention de cette loi et la création des universités. Ces hauts fonctionnaires étaient les délégués du pouvoir central auprès de tous les ordres d'enseignement. En ce qui concerne l'enseignement supérieur, le recteur, dans chaque académie, jouait donc le rôle d'intermédiaire entre le gouvernement et les facultés. Le problème se posa bien, en 1896, de savoir si on devait confier l'administration de chaque université à un président élu pour un temps par les professeurs, parmi eux, et qui continuerait à occuper sa chaire magistrale. Mais il apparut vite que, séduisante en elle-même, une telle mesure présentait, en pratique, de nombreux inconvénients. Les universités françaises sont des organismes complexes. Charger un professeur désigné pour un temps limité et conservant ses préoccupations scientifiques, de diriger une université, eût été et serait de plus en plus, lui imposer une tâche au-dessus de ses forces, tâche qui, par ailleurs, exige une stabilité suffisante pour conduire une politique à longue échéance. Il y avait, en outre, une raison qui tient à un long passé. En 1896, depuis près d'un siècle, on ne parlait plus d'université. La chose avait disparu et le terme rayé du vocabulaire. Aujourd'hui encore, après plus d'un demi-siècle, la vie se heurte souvent, dans chaque université, au traditionnel particularisme des facultés. Les professeurs eux-mêmes se sentent et se veulent de telle ou telle faculté, même si cette faculté dépend de l'Université de Paris. Dans ces conditions, il était, et il est peut-être encore, prudent de ne pas adopter un système qui aurait pu, et qui pourrait, donner lieu à des luttes entre facultés pour la nomination du recteur.

Si paradoxale que puisse paraître la coexistence dans la personne d'un même fonctionnaire d'un rôle double, elle découle de la structure même des universités. Tandis que, dans d'autres pays, chaque faculté n'est qu'un fragment d'une université, en France, une université n'est que la réunion de plusieurs facultés dont chacune est préexistante à l'université. Certes, la logique voudrait que chaque université formant elle-même le Conseil qui l'administre puisse choisir elle-même le président qui la dirige. L'usage a cependant montré que le régime adopté par les auteurs de la loi du 10 juillet 1896 concilie de la façon la plus satisfaisante, les prérogatives du ministre représenté par le recteur et celles de l'université représentée par ses délégués. Aussi ne soulève-t-il plus aujourd'hui d'objections que de la part des théoriciens des libertés universitaires.

Le personnel enseignant des facultés comprend : 1º Les *professeurs titulaires* ; 2º Les *maîtres de conférences* (dans les Facultés des Sciences et les Facultés des Lettres et Sciences humaines) et les *agrégés* (dans les Facultés de Droit et des Sciences économiques, les Facultés de Médecine et les Facultés de Pharmacie). Professeurs, maîtres de conférences et agrégés donnent l'enseignement magistral. Mais à cet enseignement posant les grands problèmes et fournissant aux étudiants des thèmes de méditation, s'ajoute un enseignement concret par l'exemple (exercices dirigés, travaux pratiques, interrogations) donné par les chefs de travaux, les maîtres-assistants, les assistants, les moniteurs, qui constitue la base de l'enseignement supérieur. Les chefs de travaux, les maîtres-assistants, les assistants et les moniteurs sont les auxiliaires des professeurs et des maîtres de conférences. A ce titre, ils font partie du personnel enseignant. Ils existent et leur nombre a été depuis peu considérablement augmenté dans toutes les facultés, sauf dans les Facultés de Droit et des Sciences économiques qui, en attendant, ont recours à un personnel extérieur pour diriger les interrogations et les exercices pratiques.

D'autre part, des postes de *professeur associé* ont été récemment créés dans lesquels peuvent être appelés à enseigner, sans condition de grade ou de nationalité mais pour un temps limité, des savants réputés ou des techniciens éminents. En outre, des professeurs étrangers peuvent être invités à venir enseigner dans les facultés en application d'accords culturels établis entre les universités françaises et les universités étrangères.

Le personnel enseignant étant composé de fonctionnaires qui sont pour la plupart rétribués directement par l'Etat, il est normal que l'Etat intervienne pour en assurer le recrutement et la désignation.

Les chefs de travaux et les maîtres-assistants de toutes les facultés ainsi que les assistants des Facultés des Lettres et Sciences humaines sont nommés par le ministre de l'Education nationale qui, en règle générale, tient le plus grand compte de l'avis des facultés. Les assistants des Facultés des Sciences, de Médecine et de Pharmacie sont nommés par le recteur. Les moniteurs sont désignés par le doyen de la Faculté. Les assistants des Facultés des Sciences doivent être au minimum licenciés ès sciences et ceux des Facultés de Médecine et des Facultés de Pharmacie docteurs en médecine ou licenciés ès sciences ou pharmaciens. Le grade de docteur ès sciences ou le titre d'agrégé des lycées est pratiquement exigé des candidats à un poste de chef des travaux des Facultés des Sciences. Les assistants et les maîtres-assistants des Facultés des Lettres et Sciences humaines sont en général titulaires d'une agrégation des lycées et se préparent au doctorat ès lettres. Les moniteurs sont des étudiants du troisième cycle ou des étudiants offrant les garanties nécessaires.

La procédure qui ouvre aux maîtres de conférences des Facultés des Sciences et des Facultés des Lettres et Sciences humaines et aux agrégés des Facultés de Médecine et des Facultés de Pharmacie l'enseignement magistral et leur permet d'accéder aux chaires de professeurs titulaires, varie suivant les facultés.

Pour les Facultés de Droit et des Sciences économiques est institué, dans chacune des disciplines, un concours d'agrégation qui met en compétition tous les candidats de toutes les facultés. Le jury de ce concours national est nommé par le ministre. Le président est pris alternativement parmi les professeurs de la Faculté de Paris et les professeurs des facultés des départements, d'après leur ancienneté, leur valeur et leurs aptitudes professionnelles et scientifiques. A la fin du concours, après délibération, le jury propose au ministre une liste portant au maximum autant de noms qu'il y a de places mises au concours. Le ministre, après approbation de cette liste, « institue » les agrégés et les nomme par arrêté publié au *Journal officiel* aux emplois vacants, d'après leur désir, leur rang de classement et les convenances du service. Les candidats doivent être titulaires du grade de docteur en droit.

Le régime est à peu près le même dans les facultés de médecine. Un concours d'agrégation y correspond aux différentes sections (anatomie, histologie, physiologie, clinique médicale, clinique chirurgicale, etc.), et, simultanément pour chaque section, sont mis au concours des emplois déterminés. Toutefois, le concours est unique, sauf pour les cliniques, et les candidats reçus choisissent leur affectation d'après le rang qu'ils occupent sur la liste des admis. En général les candidats sont déjà chefs de travaux ou assistants, chefs de clinique, prosecteurs, etc., et leur âge varie de trente à quarante-cinq ans.

Dans les Facultés de Pharmacie, il existe deux concours pour les emplois d'agrégés, l'un de pharmacie clinique et des sciences physiques et chimiques appliquées à la pharmacie, l'autre de pharmacie galénique et des sciences naturelles appliquées à la pharmacie. Chaque concours a lieu aux époques fixées par le ministre après avis de la section du Comité consultatif des Universités. Les candidats doivent être titulaires, soit du diplôme de pharmacie et du grade de docteur ès sciences, soit du diplôme supérieur de pharmacien. Ils peuvent être admis à se présenter à l'un et à l'autre concours.

Il n'existe pas de concours d'agrégation pour le recrutement du personnel enseignant des Facultés des Lettres et Sciences humaines et des Facultés des Sciences (1). Le concours est ici remplacé par

(1) Ce concours a existé jusqu'en 1789. « Quand les Jésuites furent chassés de France, le Parlement, cherchant un moyen de combler les vides créés par leur expulsion de l'enseignement public, institua

un examen de titres fait par le Comité consultatif. Cette différence de procédure est ce qui caractérise le mieux l'absence d'uniformité dans l'organisation et le fonctionnement des facultés, que nous avons déjà signalée, et qui tient à des raisons d'ordre historique, mais aussi, en l'espèce, à des raisons d'ordre pratique ou de fait. D'après le règlement, qui n'a pas varié sur ce point capital, depuis 1807, pour être professeur titulaire dans une faculté, la seule condition exigible est d'être pourvu du grade de docteur correspondant à l'une des disciplines qui y sont enseignées. Pour être professeur dans une Faculté de Droit et des Sciences économiques, il faut être docteur en droit ; pour être professeur dans une Faculté de Médecine, il faut être docteur en médecine. C'est la seule condition légale. Mais le doctorat en médecine étant exigé pour l'exercice de la profession de médecin, les titulaires de ce grade sont trop nombreux pour que le choix des maîtres de conférences puisse se faire avec toutes les garanties désirables. Il en est à peu près de même du doctorat en droit. Un moyen de sélection entre les docteurs en médecine et entre les docteurs en droit, candidats à des emplois d'enseignement, s'est révélé nécessaire et c'est ce qui a donné naissance à l'institution d'un concours d'agrégation dans ces deux facultés.

Par contre, en sciences et en lettres, par suite de la haute valeur, en France, du doctorat ès lettres et du doctorat ès sciences, dont l'acquisition exige un long

un concours pour les maîtres ès arts, afin de justifier de leur aptitude à diriger une classe de grammaire, d'humanité ou de philosophie. Ceux qui étaient reçus étaient attachés, ou selon le mot de l'époque « agrégés » aux universités avec mission de remplacer le titulaire pendant les absences et l'espoir d'être nommé à sa place le jour où la chaire serait vacante ; ce n'était pas un droit absolu, mais l'agrégé était choisi de préférence aux autres postulants. » (Cf. J. BONNEROT, *La Sorbonne*, pp. 193-194.)

travail d'érudition et d'invention, le nombre des docteurs est peu élevé, si peu même que souvent on est obligé d'admettre dans l'enseignement supérieur, comme maîtres de conférences, des candidats qui ne sont pas encore docteurs, mais dont les thèses sont en préparation. Dans ces conditions, le choix d'après les titres et les services antérieurs est aisé et il offre autant de garanties — sinon plus — qu'un autre procédé de sélection. Ce choix est d'ailleurs confié à un Comité composé de spécialistes et effectué d'après les règles de la procédure suivante : pour chacun des deux groupes de facultés (sciences et lettres), la section correspondante du Comité consultatif des Universités, comprenant des membres élus par les professeurs de chaque spécialité, dresse, chaque année, pour chaque discipline, une liste d'aptitude aux fonctions de maître de conférences. Chaque liste ne comprend, en général, que des docteurs, pour les Facultés des Sciences, et, pour les lettres, soit des docteurs, soit des candidats ayant une thèse en préparation et suffisamment avancée.

C'est sur la liste d'aptitude ainsi dressée que puise obligatoirement le ministre lorsqu'il est appelé à pourvoir à une vacance. Si son choix porte sur un candidat non docteur, la nomination est faite à titre provisoire. Elle est toutefois renouvelable d'année en année. On a voulu, par cette mesure, obliger ces candidats à ne pas retarder trop ou à ne pas abandonner l'achèvement de leurs thèses et à prendre le grade de docteur qui est le titre normal de l'enseignement supérieur. Aucun texte ne prévoit que le ministre, avant de procéder à la nomination d'un maître de conférences, soit tenu de consulter la faculté intéressée ou de tenir compte de ses propositions. L'usage s'est cependant peu à peu établi, dans les facultés de Paris, de présenter des candidats et, dans les autres facultés, soit directement, soit par l'intermédiaire des doyens, de donner spontanément un avis. Mais les présentations ainsi faites et les avis ainsi donnés n'ont qu'un caractère officieux. En fait, l'entrée dans les fonctions d'enseignement oral des Facultés des Sciences et des Lettres et Sciences humaines comme maître de conférences est d'abord entre les mains du Comité consultatif des Universités qui est, en majorité, composé de représentants du personnel des facultés, puis entre les mains du ministre de l'Education nationale. Ce procédé de recrutement dont la souplesse n'est pas le moindre mérite, a donné jusqu'ici d'excellents résultats.

Quant à l'origine des candidats à la maîtrise de conférences, elle offre des différences selon qu'il s'agit des Facultés des Sciences ou des Facultés des Lettres et Sciences humaines. Pour les Facultés de Lettres, la plupart des candidatures proviennent soit des agrégés répétiteurs de l'Ecole normale supérieure, soit des professeurs agrégés des lycées, titulaires du grade de docteur ès lettres ou aspirant à le devenir. Il n'en est pas de même pour les Facultés des Sciences. Une thèse de doctorat ès sciences exige des moyens matériels qu'on ne trouve pas dans les lycées, notamment s'il s'agit d'une thèse de sciences expérimentales. C'est donc surtout parmi les chefs de travaux, les assistants, les agrégés préparateurs de l'Ecole normale supérieure et les boursiers d'études que se recrutent les candidats. Il en résulte que beaucoup de maîtres de conférences, à l'inverse de ce qui est la généralité dans les Facultés des Lettres et des Sciences humaines, n'ont pas le titre d'agrégé des lycées. En accordant des bourses aux étudiants pourvus de la licence ès lettres, la Recherche scientifique vient d'amorcer un mouvement susceptible de mettre peu à peu les Facultés des Lettres dans une situation sensiblement analogue à celle des Facultés des Sciences.

L'accès aux chaires de professeur titulaire est réglementé par la même procédure pour toutes les facultés. La caractéristique de cette procédure est que l'intervention des facultés et des universités y joue un rôle prépondérant, tandis que le rôle du gouvernement est presque réduit à une formalité. Lorsqu'une chaire devient vacante par suite de changement d'emploi, de décès ou d'admission du titulaire à la retraite, le Conseil de la Faculté, puis celui de l'Université, délibèrent sur son maintien, sa suppression ou sa transformation. Si la chaire est maintenue ou transformée, elle peut être laissée vacante jusqu'à ce que le candidat jugé apte à l'occuper remplisse les conditions nécessaires pour être nommé, à savoir : être docteur, avoir trente ans d'âge et deux ans d'enseignement. Dans ce cas, un chargé de cours, qui peut être ce même candidat, est nommé par le ministre pour occuper la chaire à titre provisoire avec une situation comparable à celle d'un maître de conférences.

Si l'on doit nommer un titulaire, la procédure varie suivant qu'il s'agit d'une chaire nouvelle (création ou transformation) ou d'une chaire ancienne dont le maintien a été décidé. La nomination d'un professeur titulaire dans une chaire nouvelle est laissée par la loi à la discrétion du ministre après avis du Comité consultatif des Universités. Le Conseil de la Faculté n'a ni le droit de faire des propositions, ni celui de donner son avis. Dans la pratique, il est rare que le ministre s'abstienne de le consulter officieusement. Par contre, pour pourvoir d'un professeur titulaire une chaire maintenue, ce qui est le cas le plus fréquent, la procédure est plus complexe. Il faut d'abord que le ministre, à la demande de la faculté, déclare la chaire vacante par un avis publié au *Journal officiel de la République française*, fixant le délai dans lequel les candidatures doivent être posées. Comme nous l'avons déjà dit, le seul titre qui soit réglementairement nécessaire pour être candidat est le grade de docteur. Mais, sauf exception extrêmement rare, on

ne retient dans les facultés de droit et de médecine
que les docteurs pourvus du titre et exerçant les
fonctions d'agrégé. De même, dans les Facultés des
Sciences et des Lettres et Sciences humaines, les
candidatures généralement retenues sont celles des
maîtres de conférences. Il n'est pas très rare cependant, que des candidats qui n'ont pas encore enseigné dans une Faculté des Lettres et Sciences humaines ou des Sciences mais dont la haute valeur
est attestée par leurs travaux, soient choisis de
préférence à d'autres.

Le délai de dépôt des candidatures expiré, le
Comité consultatif des Universités procède à l'examen du dossier de chaque candidat et dresse, s'il y a
lieu, une liste de présentation comprenant les noms
des candidats rangés par ordre de préférence. Cette
liste est communiquée à la faculté intéressée qui, à
son tour, en établit une selon la même procédure. Le
ministre peut ainsi se trouver en présence de deux
classements différents. En pratique, les divergences
entre la Faculté et le Comité consultatif ne se pro-
duisent que lorsque les propositions du Conseil de la
Faculté sont l'expression d'une faible majorité, ou
lorsque le Conseil de la Faculté n'a pas pu suffisamment mettre en compétition la valeur d'un candidat
qu'elle ne connaît pas avec celle d'un candidat qui
fait déjà partie de la faculté comme maître de conférences. Dans ces cas, c'est la liste établie par le
Comité consultatif des Universités qui est, en principe, retenue car cet organisme a qualité pour connaître l'ensemble du personnel et pour comparer
équitablement tous les titres. En tout état de cause,
il appartient au ministre seul d'apprécier les élé-
ments que lui apporte le dossier et de choisir entre
les candidats proposés. La nomination intervient
ensuite par voie de décret.

Si une chaire vacante dans une faculté est demandée par un professeur déjà titulaire dans une autre faculté, la procédure appliquée est celle du *transfert* qui est subordonné à l'avis du Conseil de la Faculté où le professeur exerce et du Conseil de la Faculté où il veut être appelé. La demande de transfert doit être faite avant la déclaration de vacance de la chaire, soit au ministère qui en informe les deux facultés et les invite à donner leur avis, soit directement à l'une et à l'autre faculté. Les deux avis ne lient pas le ministre dont la décision reste libre. Dans la pratique, s'ils sont tous les deux favorables, le transfert est, en général, prononcé. Si, au contraire, un avis est défavorable — et il arrive fréquemment que celui de la faculté où l'on veut entrer le soit — il appartient au ministre d'en apprécier la valeur et de décider.

Les demandes de transfert sont assez rares, sauf quand il s'agit du passage d'une faculté de province à une faculté de Paris. La situation de l'Université de Paris est privilégiée par rapport à celle des autres universités françaises. Outre le prestige de son passé et les avantages de la résidence, elle offre aux professeurs des instruments de travail et des relations intellectuelles qu'ils ne trouvent nulle part ailleurs. Il arrive parfois qu'un professeur réputé refuse, par attachement à une université provinciale où il enseigne, de répondre à un appel de Paris. Mais le cas est exceptionnel et beaucoup de professeurs acceptent de venir à Paris comme maîtres de conférences en attendant de pouvoir y être titularisés. L'Université de Paris peut ainsi constituer son personnel par une sévère sélection. La Faculté de Droit de Paris recrute uniquement ses professeurs parmi les professeurs des facultés de province. La Faculté des Sciences et la Faculté des Lettres et Sciences humaines y recrutent la plus grande partie. Par contre, la Faculté de Médecine de Paris a un recrutement presque uniquement local. D'une part, les professeurs de province ne tiennent pas à quitter leur clientèle et leurs intérêts ; d'autre part la Faculté de Paris, qui défend l'avancement de son personnel, ne s'ouvre pas volontiers, sauf exception, au personnel des facultés provinciales.

L'arrêté du 11 février 1840 a fixé à trois leçons par semaine le service des professeurs et l'arrêté du 5 novembre 1877 a fixé également à trois leçons par semaine celui des maîtres de conférences et agrégés des facultés. En outre, le service des examens et de la soutenance des thèses fait obligatoirement partie de leurs attributions normales et ne donne lieu à aucune rétribution. En principe, le service des chefs de travaux comporte cinq séances hebdomadaires de travaux pratiques et celui des maîtres assistants et des assistants cinq heures par semaine.

Signalons enfin qu'un cadre de professeurs de l'enseignement supérieur à l'étranger comprenant des chaires de professeurs et des maîtrises de conférences a été créé par l'ordonnance n° 45-2656 du 2 novembre 1945 pour permettre de répondre aux demandes de professeurs de plus en plus nombreuses formulées par les pays étrangers. Les candidats doivent préalablement souscrire l'engagement de servir à l'étranger pendant une durée déterminée par les ministres intéressés.

Nous avons vu que les universités peuvent avoir, à côté du personnel rétribué par l'Etat, un personnel payé sur leur budget propre. Ce personnel peut être divisé en deux catégories. La première comprend des personnes engagées pour une tâche déterminée, sur décision du Conseil de l'Université qui fixe la rétribution. Le recrutement n'est pas subordonné à la possession de grades ou de titres : l'université a toute liberté pour agir au mieux des intérêts de l'enseignement. Le personnel ainsi nommé n'a ni la qualité, ni le statut de fonctionnaire. Ses seules garanties sont celles qui peuvent résulter de la convention passée entre les deux parties. En général, ce système n'est employé que pour le recrutement du petit personnel et des auxiliaires d'enseignement.

La deuxième catégorie est formée de véritables fonctionnaires figurant dans les mêmes cadres et jouissant des mêmes avantages et du même statut que les fonctionnaires de l'Etat. Aussi, l'Etat intervient-il, non seulement pour la création des chaires dites chaires d'université, mais encore pour la nomination de leurs titulaires. Toute création de chaire décidée par le Conseil de l'Université doit, en effet, être approuvée par un décret portant le contreseing du ministre de l'Education nationale et celui du ministre des Finances. La nomination du titulaire de la chaire intervient ensuite par voie de décret et suivant la même procédure que pour une chaire d'Etat. S'il s'agit d'une maîtrise de conférence, la nomination est faite par le recteur. Mais le recteur est le délégué du ministre et, en tout état de cause, le choix ne peut s'exercer qu'à l'intérieur de la liste d'aptitude dont nous avons parlé plus haut.

Une telle intervention de l'Etat peut paraître abusive dans la mesure même où elle porte gravement atteinte aux prérogatives des universités dont il a proclamé l'autonomie. Il semble qu'il eût été plus juste et plus logique de laisser aux universités le pouvoir de se constituer elles-mêmes leur corps de fonctionnaires propres et de leur assurer une retraite par un système autre que celui qui légitime l'intervention de l'Etat, sous prétexte que la charge de cette retraite lui incombe. Mais il faut tenir compte d'un élément qui est propre au caractère du Français et qui l'incite à préférer les emplois relevant directement de l'Etat à ceux qui dépendent d'autres organismes. Les professeurs titulaires d'une chaire d'université, quels que soient les avantages et les garanties dont ils jouissent, n'hésitent jamais à saisir la première occasion de passer dans une chaire d'Etat. Le système adopté offre donc l'avantage de faciliter aux universités le recrutement de maîtres de conférences et de professeurs titulaires qui, dans le cas contraire, n'accepteraient pas les emplois offerts. Mais il a l'inconvénient de subordonner toute proposition de création d'emploi nouveau à l'approbation du ministre des Finances qui, pour ménager les charges de l'Etat, a tendance à la refuser. Si cette tendance venait à se renforcer et à prendre forme d'obstruction, il faudrait bien envisager l'adoption d'un autre système susceptible de permettre le libre jeu des prérogatives accordées par la loi aux universités.

En plus des deux catégories dont nous venons de parler, il convient de signaler deux autres catégories comprenant, l'une le personnel scientifique des observatoires, l'autre le personnel technique des bibliothèques. Le personnel des observatoires astronomiques des universités est un personnel d'Etat qui comprend : les directeurs dont la situation correspond à celle des professeurs de faculté, les astronomes-adjoints qui occupent une situation analogue à celle des maîtres de conférences, les aides-astronomes et les assistants. La nomination des astronomes-adjoints, des aides-astronomes est faite par le ministre de l'Education nationale d'après une liste d'aptitude établie par un Comité consultatif. Les directeurs sont nommés par décret sur la proposition du ministre. Leur choix porte obligatoirement sur les candidats présentés par le Comité consultatif et par l'Académie des Sciences à raison de deux pour chaque liste de présentation. Quant au personnel des bibliothèques, chaque université a sa bibliothèque générale dirigée, sous l'autorité du recteur, par un bibliothécaire en chef ou par un conservateur. Pour être nommé bibliothécaire dans une bibliothèque universitaire, il faut être inscrit sur une liste d'aptitude dressée par la commission supérieure des bibliothèques. Les candidats doivent justifier d'un titre de culture générale (archiviste-paléographe, doctorat, agrégation des lycées, licence ès lettres ou ès sciences, etc.), et du diplôme technique de bibliothécaire.

Enfin, les universités possèdent un personnel de service qui comprend des chefs du matériel, des mécaniciens, des électriciens, des contremaîtres, des jardiniers, des appariteurs, des chefs d'ateliers, des garçons de laboratoire, des surveillants, des gardiens de salle et de bureau, des hommes de peine et des concierges. Tous ces emplois sont occupés par des fonctionnaires d'Etat et réservés, presque en totalité, aux anciens militaires invalides de guerre ou aux sous-officiers de carrière, engagés, rengagés, etc.

Ce chapitre sur la composition et l'administration des universités, serait incomplet si nous négligions de donner quelques indications sur les bâtiments et le régime auquel ils sont soumis. Les bâtiments scolaires et les immeubles utilisés pour leurs différents services par les universités ne sont pas régis par un système juridique uniforme. En se plaçant à ce point de vue, on peut les classer en trois groupes.

Le premier groupe comprend les immeubles appartenant à l'Etat. Ces immeubles font partie des bâtiments de France. Les travaux de construction, d'agrandissement, de réparations sont assurés par les services de la direction de l'architecture du ministère de l'Education nationale. Rentrent notamment dans ce groupe les grandes écoles et les grands établissements : Ecole normale supérieure, Ecole des Langues orientales vivantes, Observatoire de Paris, qui sont des organismes d'Etat, gérés directement par le ministère et le Collège de France, le Muséum d'Histoire naturelle, la Bibliothèque nationale, qui sont des établissements dotés de l'autonomie financière, dont nous parlerons plus loin. Par contre, seuls quelques bâtiments occupés par des universités appartiennent à l'Etat.

Le deuxième groupe comprend les immeubles appartenant aux villes. L'achat du terrain, la construction, les modifications les grosses réparations, sont à la charge de la ville. Très souvent, L'Etat accorde, à la ville propriétaire, des subventions qui parfois atteignent ou dépassent 50 % de la dépense totale. Dans ce cas, il intervient entre l'Etat et la ville, une convention qui laisse à cette dernière le soin d'établir les plans des travaux après entente avec les autorités universitaires, mais l'oblige à les soumettre pour approbation au ministre de l'Education nationale. Après exécution, les travaux sont soumis aux formalités de la réception. Bien qu'ils soient propriétés de la ville où ils se trouvent, les bâtiments ainsi construits et entretenus ont une affectation qui ne peut être modifiée que par une nouvelle convention. Ce régime était à peu près partout celui des bâtiments occupés par les facultés avant la création des universités en 1896 qui, sous l'impulsion de Louis Liard, fut précédée, entre 1880 et 1900, par une période de constructions importantes.

Le troisième groupe comprend les immeubles appartenant aux établissements dotés de l'autonomie financière et de la personnalité civile par suite du droit qu'ils tiennent de la loi de posséder et d'acquérir, soit à titre onéreux, soit par dons ou legs. Si un établissement placé sous ce régime veut engager des travaux de construction ou de réparations, il choisit son architecte et fait exécuter le projet. Mais dans le cas — et il se produit fréquemment — où une subvention est demandée à l'Etat, à la ville ou à d'autres collectivités, le projet, avec plans et devis, doit être soumis aux autorités gouvernementales, départementales ou municipales pour approbation. Ce système, adopté d'abord par les universités, s'est étendu à d'autres établissements. C'est grâce à lui, par exemple, que la Bibliothèque nationale a pu acquérir un terrain et édifier un vaste dépôt pour ses collections les moins fréquemment consultées et que le Muséum a réalisé le Jardin zoologique de Vincennes.

Pour les universités, un tel régime est de toute évidence plus conforme à leur autonomie. Aussi a-t-il tendance à se développer. Cependant les responsabilités inhérentes à la propriété, notamment la charge de grosses réparations, sont encore un frein pour certaines universités. D'autre part, certaines villes ne consentent un sérieux effort financier que si elles conservent leurs droits de propriétaires. Dans ce cas, la convention n'est pas passée comme autrefois entre la ville et l'Etat, mais entre la ville et l'université. En résumé, l'intervention de l'Etat dans la question des immeubles nécessaires aux universités se borne à l'octroi de subventions versées aux villes ou aux universités et utilisées directement par elles.

Quant à l'emplacement de ces immeubles, on doit remarquer que, contrairement à ce qui se passe dans beaucoup de pays, les universités françaises sont, en général, installées à l'intérieur des villes. Elles ne disposent pas de vastes terrains comme les universités américaines. Souvent elles sont groupées soit dans un même bâtiment, soit dans des bâtiments tout proches, comme à Paris où deux facultés sont installées dans la Sorbonne, tandis que les trois autres gravitent autour d'elle. Et lorsque des agrandissements ou des bâtiments nouveaux s'imposent — le transport de l'université tout entière en dehors de la ville s'avérant irréalisable pour des raisons qui tiennent à la fois du sentiment, de la tradition et de l'insuffisance des crédits — on édifie là où on trouve de la place tantôt une faculté, tantôt un institut. Mais on se rend de plus en plus compte que le groupement de toutes les facultés constituant l'université, près des services propres à chacune d'elles et des services qui leur sont communs, est une organisation qu'il faudrait réaliser.

NOTE. — La division de la France universitaire, Algérie non comprise, en seize Académies, sans être anachronique au point d'exiger une refonte totale, nous paraît appeler d'importantes modifications. Il y aurait intérêt, croyons-nous, à diviser le pays en une vingtaine de régions universitaires mieux équilibrées que les seize Académies actuelles. Chaque région, placée sous l'autorité d'un Recteur d'Université, représentant le pouvoir central, serait dotée d'une assez large autonomie administrative et financière qui lui permettrait de répondre plus facilement aux besoins locaux. Elle comprendrait, outre les établissements publics d'enseignement supérieur dont l'ensemble, sous la dénomination : « Université de... » continuerait à être régi par le statut actuellement en vigueur, les établissements publics des autres ordres d'enseignement dont le personnel, à l'exception des agrégés des lycées, serait recruté et administré sur le plan régional. Les problèmes de tous ordres que pose le développement de l'enseignement trouveraient, à notre avis, leur solution dans le cadre régional plus aisément que dans le cadre national.

Chapitre III

LES GRANDS CORPS SAVANTS, LES ÉTABLISSEMENTS OFFICIELS D'ENSEIGNEMENT SUPÉRIEUR EXTÉRIEURS AUX UNIVERSITÉS, LES AUTRES ORDRES D'ENSEIGNEMENT

A proprement parler, ni les établissements autres que les facultés, les instituts de faculté, les instituts d'université et les écoles d'enseignement supérieur rattachées à une université, ni les ordres d'enseignement autres que celui de l'enseignement supérieur, n'entrent dans le cadre d'une étude sur les institutions universitaires. Sauf en ce qui concerne l'Ecole normale supérieure, les grands corps savants comme l'Institut de France, les grands établissements comme le Collège de France, le Muséum d'Histoire naturelle, l'Ecole pratique des Hautes Etudes, l'Ecole nationale des Langues orientales vivantes, l'Ecole nationale des Chartes, sont des organismes officiels extérieurs aux universités dont ils ne possèdent ni les attributions, ni les prérogatives. Aucun lien légal ne les unit aux universités ; ils dépendent directement du ministère de l'Education nationale. Le recteur contrôle le fonctionnement et l'administration de certains d'entre eux en tant que recteur d'académie et non en tant que président du Conseil de l'Université. Mais à défaut de relations adminis-

tratives prescrites par la loi, les grands établissements entretiennent avec les facultés des rapports
d'ordre didactique auxquels rien ne les oblige et qui
s'établissent pour ainsi dire en vertu de la nature des
choses. Les professeurs qui enseignent dans ces
établissements sont souvent des professeurs qui ont
enseigné ou qui enseignent encore dans les facultés.
Ne pas en parler serait donc donner une image
incomplète des institutions universitaires en France.
Quant aux autres ordres d'enseignement (second
degré, technique, premier degré), il est légitime de
donner sur eux quelques indications dans la mesure
où ils constituent pour le jeune Français des étapes
vers l'accès à l'enseignement supérieur.

L'Institut de France n'est pas un établissement
d'enseignement, mais un collège de savants fondé
par l'article 298 de la Constitution du 5 fructidor,
an III (22 août 1795) avec la mission de « recueillir
les découvertes, de perfectionner les Arts et les
Sciences ». Organisé d'abord par la loi du 3 brumaire,
an IV (25 octobre 1795) et par celle du 15 germi-
nal, an IV (4 avril 1796), il fut maintenu par l'article 88 de la Constitution du 22 frimaire, an VIII
(13 décembre 1799) et réorganisé par l'arrêté consulaire du 3 pluviôse, an XI (23 janvier 1803) qui le
divisa en quatre classes : classe des sciences physiques et mathématiques ; classe de la langue et de la
littérature françaises ; classe d'histoire et de littérature ancienne ; classe des beaux-arts. L'ordonnance
royale du 21 mars 1816, voulant rattacher l'Institut
aux anciennes académies, comme on avait eu le
projet de le faire dans la réorganisation de l'an XI,
décida que l'Institut serait composé de quatre académies : l'*Académie française* fondée en 1634 par
Richelieu, l'*Académie des Inscriptions et Belles-
Lettres* créée par Colbert en 1663 ; l'*Académie des*

Sciences instituée par Colbert en 1666 ; l'*Académie des Beaux-Arts* dont les diverses sections avaient été successivement organisées par Mazarin et Colbert. Une ordonnance royale du 26 octobre 1832 y ajouta l'*Académie des Sciences morales et politiques* créée par la Convention.

L'Académie française et l'Académie des Inscriptions et Belles-Lettres ne sont pas divisées en sections. L'Académie des Sciences en comprend onze ; l'Académie des Beaux-Arts et l'Académie des Sciences morales et politiques en comptent cinq chacune. Seule l'Académie française n'est composée que de membres titulaires. Les autres comprennent, outre les membres titulaires, des membres libres, résidants et non résidants, des associés étrangers et des correspondants français et étrangers. Chaque académie a un secrétaire perpétuel, sauf l'Académie des Sciences qui en a deux. Les membres de l'Institut sont recrutés par voie d'élection. Dans l'organisation de l'an IV, les élections étaient faites par l'Institut tout entier. Depuis l'arrêté consulaire du 3 pluviôse, an XI, elles se font par académie. Le résultat de chaque élection doit, pour devenir effectif, être confirmé par un arrêté du ministre de l'Education nationale. La présidence de l'Institut est exercée par un délégué désigné chaque année et pris à tour de rôle dans l'une des cinq académies. L'administration est assurée par une commission administrative centrale renouvelée chaque année et composée des secrétaires perpétuels et de deux membres de chaque académie. L'Institut est doté de la personnalité civile et de l'autonomie financière.

L'Académie de Médecine a été créée par l'ordonnance du 20 décembre 1820 pour continuer les travaux de la Société royale de Médecine et de l'Académie de Chirurgie qui avait été supprimée par la

Convention en 1793. Elle comprend trois grandes sections : médecine, chirurgie et sciences biologiques dont les membres sont, comme ceux de l'Institut de France, recrutés par voie d'élection.

L'*Ecole normale supérieure*, qui depuis sa création par la Convention avait une existence exclusivement dépendante du ministère de l'Education nationale, a été, par le décret du 10 novembre 1903, rattachée à l'Université de Paris dont elle constitue l'institut pédagogique. Ses élèves sont recrutés par la voie d'un concours qui réunit un très grand nombre de candidats préparés dans les classes de première supérieure et de mathématiques spéciales de certains lycées, pour un très petit nombre de places. L'Ecole ne reçoit, en effet, chaque année, qu'une vingtaine d'élèves dans la section des sciences et une trentaine dans la section des lettres. Elle les prépare à la licence, au diplôme d'études supérieures, puis à l'agrégation des lycées, car elle est destinée, en principe, à assurer le recrutement d'une partie des professeurs de lycées. Mais, en fait, la plupart des professeurs des Facultés des Sciences et des Lettres sont d'origine normalienne. Le régime de l'Ecole est l'internat. Une bibliothèque, riche d'environ trois cent mille volumes, est à la disposition des élèves. L'enseignement de base est donné à la Faculté des Sciences et à la Faculté des Lettres de l'Université. Mais les élèves reçoivent en plus, à l'Ecole même, d'autres enseignements qui leur sont tout spécialement destinés. Ces enseignements sont confiés par le ministre, pour une durée déterminée, à des professeurs ou à des maîtres de conférences de l'Université. Ainsi tout en étant rattachée à l'Université de Paris, l'Ecole normale supérieure conserve sa personnalité. Sur son budget propre, qui est géré directement par le ministère, figure un personnel

enseignant spécial à l'Ecole comprenant : un directeur, un directeur-adjoint, un sous-directeur, un
bibliothécaire en chef et un sous-bibliothécaire des
agrégés préparateurs et des agrégés répétiteurs.

Le directeur et le directeur-adjoint sont nommés par décret
pour cinq ans, d'après deux listes de présentation, de deux
noms chacune, l'une par le Conseil de l'Université
de Paris, l'autre par la section permanente du Conseil supérieur de l'Education nationale. En principe, rien n'oblige à
désigner des professeurs de l'université. Mais, en règle générale
c'est parmi ceux d'entre eux qui sont anciens élèves de l'école
que se fait le choix. Il en est de même pour le sous-directeur,
les bibliothécaires, les préparateurs et les répétiteurs ; ce sont
des anciens élèves, reçus à l'agrégation des lycées, qui, tout en
participant à l'enseignement et à l'administration de l'Ecole,
poursuivent leurs travaux en vue du doctorat d'Etat.

Tout autre est la situation du *Collège de France*.
Cet établissement, qui date de plus de quatre siècles,
a conservé, à travers les transformations politiques
de la nation, la même structure, le même caractère
et le même esprit qu'il avait en 1530. Il a pour objet
de contribuer au progrès de la science : 1º Par des
travaux et des recherches ; 2º Par des enseignements
relatifs à ces travaux et à ces recherches, sans préoc-
cupation de préparer à des grades et à des diplômes ;
3º Par des missions et des publications. Le Collège de
France n'est donc pas un établissement d'enseignement proprement dit, mais plutôt un établissement scientifique. Il n'a pas, comme une faculté,
des étudiants réguliers, mais de simples auditeurs.
Les études, qu'aucun programme ne délimite, ne
sont sanctionnées ni par des examens, ni par des
diplômes. Aucun grade, aucun titre n'est réglementairement exigé pour y être nommé professeur.

Le nombre des chaires est fixé par le budget, mais leur
titre et leur affectation peuvent être modifiés quand elles
deviennent vacantes, suivant les besoins de la science et la

valeur des candidats. Lorsque les crédits affectés à une chaire sont disponibles par suite du décès, de la retraite, de la démission du titulaire, ou pour toute autre cause, l'assemblée du Collège est convoquée dans un délai minimum d'un mois pour examiner à quel enseignement et à quel ordre de recherches, il convient de les consacrer. Les propositions de l'assemblée sont transmises au ministre de l'Education nationale qui statue par un arrêté sur l'emploi à faire des crédits. A partir de la publication de cet arrêté, un délai d'un mois est accordé pour le dépôt des candidatures auprès de l'administrateur du Collège. Ce délai écoulé, l'assemblée après avoir examiné et discuté les titres des candidats, procède à un vote au scrutin secret et à la majorité absolue, les deux tiers des professeurs étant présents, pour l'établissement d'une liste de deux candidats. Elle transmet ensuite au ministère de l'Education nationale le procès-verbal de ses délibérations et de ses votes. Ces documents sont communiqués par le ministre à l'Académie compétente (Sciences, Inscriptions et Belles-Lettres, Sciences morales et politiques), qui présente à son tour et dans les mêmes formes, deux candidats. Le professeur est alors nommé par décret sur la proposition du ministre de l'Education nationale.

L'administration du Collège est assurée par l'assemblée des professeurs titulaires, par l'administrateur et par le vice-président, l'un et l'autre choisis parmi les professeurs sur une liste de trois candidats présentés au scrutin secret par l'assemblée. L'administrateur et le vice-président sont nommés par décret, pour trois ans, sur la proposition du ministre. En règle générale, l'administrateur appartient à l'ordre des lettres et le vice-président à l'ordre des sciences. Le Collège de France est doté de l'autonomie financière, comme les universités, bien qu'il n'ait pas de ressources propres.

Comme le Collège de France, le *Muséum national d'Histoire naturelle* est un centre de recherches expérimentales et d'études désintéressées, plutôt qu'un établissement d'enseignement proprement dit. Pas d'élèves réguliers astreints à une scolarité, pas de programme fixe, pas d'examens, pas de diplômes. Son but principal est, aux termes du décret du 10 juin 1793, « l'enseignement public de l'histoire naturelle, pris dans toute son étendue et appliqué plus particulièrement à l'avancement de l'agriculture, du commerce et des arts ». En outre, le Muséum est un ensemble de collections que l'établissement a pour mission d'entretenir, d'enrichir et de conserver. Ces collections sont riches et nombreuses. Elles sont installées au Jardin des Plantes, à Paris, et dans des annexes comme le Musée de l'Homme, le domaine de Chèvreloup, le Laboratoire maritime de Dinard, le Jardin zoologique de Vincennes. Certaines d'entre elles sont ouvertes au public moyennant un droit d'entrée qui apporte pour le Muséum des ressources importantes.

Les professeurs titulaires du Muséum sont nommés par décret sur proposition du ministre de l'Education nationale après deux présentations doubles, l'une par l'assemblée des professeurs, l'autre par l'Académie des Sciences. Réglementairement, il ne peut être exigé des candidats aucun titre, ni aucun grade. Mais, en général, le recrutement des professeurs titulaires se fait parmi les professeurs de facultés et parmi les sous-directeurs de laboratoires appartenant au Muséum.

Le Muséum est administré, sous l'autorité du ministre de l'Education nationale, par un directeur pris parmi les professeurs et nommé par décret après présentation double de l'assemblée des professeurs et du Conseil du Muséum. Le directeur représente le Muséum dans tous les actes de la vie civile et administrative. L'assemblée des professeurs joue le rôle du Conseil de l'Université : elle délibère en particulier sur le projet de budget et de comptes administratifs. Le Conseil du Muséum est composé du directeur de l'établissement, du directeur général de l'enseignement supérieur, membres de droit, et de cinq membres nommés par décret pour une durée de six ans. Le Muséum est doté de la personnalité civile et de l'autonomie financière, sans cependant avoir la prérogative, comme l'Université, de créer et de rétribuer sur son budget des emplois réguliers.

Il n'en est pas de même pour l'*Ecole nationale des Chartes* dont l'organisation intérieure a été fixée par l'ordonnance du 31 décembre 1840. Cet établissement n'est pas doté de l'autonomie financière et son budget est géré par l'administration centrale du ministère de l'Education nationale. Un concours assure le recrutement des élèves. Des examens annuels sanctionnent les trois années de scolarité qui conduisent au diplôme d'archiviste paléographe requis pour pouvoir accéder aux fonctions d'archiviste ou de bibliothécaire, sauf dans les bibliothèques universitaires qui exigent en outre un diplôme technique. Des auditeurs libres peuvent être admis à suivre les cours.

L'Ecole est placée sous l'autorité d'un directeur, nommé par le ministre de l'Education nationale, pris parmi les professeurs et continuant à donner son enseignement. Un Conseil de perfectionnement, composé pour la plus grande part de membres de l'Académie des Inscriptions et Belles-Lettres, est placé auprès du directeur ; il est chargé de régler les études, de faire passer les examens et de délibérer sur toutes les questions intéressant le fonctionnement général de l'école. Les professeurs sont nommés par décret, après trois propositions doubles faites par l'assemblée des professeurs, par le Conseil de perfectionnement et par l'Académie des Inscriptions et Belles-Lettres. Le ministre de l'Education nationale peut, en outre, proposer un candidat désigné par ses travaux. Aucun grade ou titre n'est réglementairement exigé. Dans la pratique, les propositions portent sur des savants qui ont eux-mêmes passé par l'Ecole des Chartes.

L'organisation administrative de l'*Ecole nationale des Langues orientales vivantes* est sensiblement la même que celle de l'Ecole des Chartes. Pas d'autonomie financière. La direction en est assurée par un administrateur choisi parmi les professeurs et nommé par décret pour cinq ans renouvelables. L'administrateur est assisté par l'assemblée des professeurs et par un Conseil de perfectionnement dont une partie des membres siègent en qualité de représentants d'autres ministères, comme les Affaires étrangères, la Défense nationale, l'Intérieur et le Commerce.

Les élèves sont recrutés sur titre. Les études, dont la durée normale est de trois ans sont sanctionnées par un diplôme portant la mention des langues qui ont fait l'objet de l'examen. Les professeurs titulaires sont nommés par décret dans des formes analogues à celles de l'Ecole des Chartes. Les chargés de cours complémentaires sont nommés par arrêté du ministre de l'Education nationale sur la proposition de l'assemblée des professeurs et du Conseil de perfectionnement. Enfin, les répétiteurs sont nommés annuellement par arrêté ministériel sur présentation de l'administrateur et choisis, autant que possible, parmi les originaires du pays dont ils ont à enseigner la langue. Aucun grade n'est exigé ni pour les professeurs titulaires, ni pour les autres. En fait, les uns sont des universitaires qui ont déjà enseigné dans les facultés ou dans les lycées d'autres d'anciens fonctionnaires qualifiés par leur compétence spéciale et leurs travaux.

L'*Ecole pratique des Hautes Etudes* fut créée, comme nous l'avons déjà dit, par Victor Duruy, en 1868, à une époque où les facultés étaient encore des organismes étroits et peu vivants. Dans l'esprit de son fondateur, la nouvelle institution ne devait comporter aucun enseignement doctrinal. Son rôle était de se consacrer uniquement aux recherches scientifiques et aux expériences d'ordre pratique. Il en est encore ainsi pour les sections scientifiques qui ne donnent aucun cours et qui sont constituées par une série de laboratoires, ayant une existence propre, mais disséminés dans divers établissements de Paris ou de province : facultés, Muséum, Collège de France et même laboratoires privés. Les sections d'ordre littéraire ont pris peu à peu un caractère différent. Elles ressemblent à des instituts de Faculté des Lettres, qui donnent, par les professeurs appelés « directeurs d'études » un véritable enseignement magistral pour des disciplines ne rentrant pas dans le cadre classique des facultés.

La nomination des directeurs d'études est faite par le ministre de l'Education nationale, sur proposition de l'assemblée des directeurs. Aucun grade n'est exigé des candidats. Mais en fait, un certain nombre de directeurs d'études sont en même temps professeurs au Collège de France ou dans les facultés et quelques-uns dans les lycées. Aucun grade n'est exigé des élèves. Toutefois, on n'est admis comme élève titulaire qu'après un stage d'un an. Les études sont sanctionnées, pour les sections littéraires, par un diplôme, sur présentation d'un mémoire qui est une véritable thèse, diplôme auquel n'est attaché aucune prérogative, ni aucun droit.

Au point de vue administratif et financier, l'Ecole pratique des Hautes Etudes est une institution d'Etat, gérée directement par le ministère de l'Education nationale. Dans chaque section, la réunion de tous les directeurs d'études forme l'assemblée qui constitue, par élection, un conseil plus restreint. A la tête de chaque section se trouve un président nommé par le ministre de l'Education nationale sur double présentation de l'assemblée. Président, Assemblée et Conseil s'occupent de l'administration intérieure et ont qualité pour faire des propositions sur le maintien, la transformation, la création ou la suppression de laboratoires ou de directions d'études.

Les *Etablissements du Centre national de la Recherche scientifique* comprenant le Centre de documentation, le Service de l'enseignement préparatoire aux techniques de la recherche, le Service de radio-protection, le Service des prototypes, les

Laboratoires d'astronomie et sciences de la terre, de physique, de chimie, de biologie, de génétique, de photobiologie, de photosynthèse, du phytotron, de radiocarbone, l'Institut de Chimie des substances naturelles, le Centre de recherches hydrobiologiques, le Centre de sélection des animaux de laboratoire, le Centre de recherches scientifiques, industrielles et maritimes de Marseille, les Laboratoires de sciences mathématiques, physico-chimiques, biologiques et naturelles, les Centres de sciences humaines, etc.

Le *Conservatoire national des Arts et Métiers*, qui fut créé le 10 juin 1718, en application du décret de la Convention nationale du 19 vendémiaire, an III, a pour objet l'étude des sciences appliquées à l'industrie, aux arts, au commerce et à l'agriculture. Il est à la fois un établissement de haut enseignement et un musée possédant de riches collections et une importante bibliothèque. Les professeurs sont nommés par le ministre de l'Education nationale après présentation du Conseil de perfectionnement, du Conseil d'administration du Conservatoire et de la section intéressée de l'Institut de France. L'administration de l'établissement est confiée à un directeur nommé par décret sur présentation du ministre de l'Education nationale.

Tous les enseignements du Conservatoire sont publics. Aucune formalité n'est exigée pour l'admission. Toutefois, les auditeurs qui désirent, en fin d'année, obtenir un certificat d'assiduité ou d'études, doivent, avant le 15 novembre, se faire inscrire et demander une carte d'identité nominative dont la délivrance n'est soumise à aucune condition d'âge, de nationalité ou d'études antérieures. Des examens permettent aux auditeurs ayant suivi régulièrement les cours, concernant un ordre déterminé de connaissances, d'obtenir un certificat annuel. Les titulaires des certificats annuels portant sur le cycle complet de deux cours peuvent, après un nouvel examen, recevoir le diplôme d'études du Conservatoire national des Arts et Métiers (1).

Signalons aussi comme grands établissements, la *Fondation*

---

(1) En outre, le Conservatoire donne un enseignement pratique consistant en conférences, manipulations, dessin et travaux de laboratoires qui sont complétés par l'exécution de travaux et devis, des voyages d'études, des visites d'établissements industriels. Cet enseignement s'adresse aux techniciens et aux industriels qui recherchent un complément d'instruction technique et aux jeunes gens se destinant aux carrières industrielles. Le diplôme d'ingénieur et divers brevets spéciaux peuvent en être la sanction. De récentes ouvertures de centres associés au Conservatoire ont été opérées dans plusieurs grandes villes de province.

nationale des Sciences politiques, qui a pour but d'assurer le progrès et la diffusion des sciences politiques, économiques et sociales ; l'*Observatoire de Paris*, consacré aux recherches portant sur les diverses branches de l'astronomie ; le *Bureau des Longitudes*, institué par la loi du 7 messidor an III, en vue des applications de la science astronomique à la géographie, à la navigation et à la physique du globe et dont chaque membre titulaire est nommé par décret sur présentation de deux noms par les membres de l'établissement puis par la classe correspondante de l'Institut de France ; le *Palais de la Découverte*, rattaché à l'Université de Paris, et la *Bibliothèque nationale* qui, non seulement met à la disposition des professeurs, des étudiants, des chercheurs la richesse de ses imprimés et manuscrits, mais entretient la curiosité et le goût de tous par des expositions fréquentes d'ouvrages, d'estampes, de médailles et de documents précieux.

Il convient, d'autre part, de mentionner certains établissements ou organismes récemment créés pour répondre aux besoins de plus en plus considérables du pays en ingénieurs, en techniciens supérieurs, en chefs d'entreprises, en professeurs, etc. L'*Institut national des Sciences appliquées* de Lyon institué par la loi du 18 mars 1957 où les élèves de plus en plus nombreux sont admis sans concours et, à la suite d'une première année d'études communes, les meilleurs sont orientés vers l'une des sections de chimie, de mécanique ou de physique et les autres vers la section des techniciens ; le *Centre universitaire de Coopération économique et sociale*, créé à Nancy, qui a pour objet de développer les rapports personnels et l'information mutuelle entre les membres de l'Université et les représentants de l'économie régionale. Il est chargé de la formation économique et sociale des élèves des Ecoles nationales supérieures d'ingénieurs de Nancy, du perfectionnement des ingénieurs et des cadres, de la promotion du travail entendue au sens le plus large du terme, de l'extension de la recherche scientifique en liaison avec les différents secteurs de l'activité économique ; les *Instituts d'Administration des entreprises* créés dans plusieurs universités à partir de 1956, qui sont aussi des centres de liaison entre l'activité économique, la recherche et l'enseignement supérieur et qui font appel pour leur administration et leurs enseignements à des praticiens du secteur public et du secteur privé autant qu'à des universitaires. Ils s'attachent à la fois à la formation des étudiants par des méthodes actives et concrètes et au perfectionnement des cadres ; les *Instituts de Préparation aux enseignements du second degré* qui ont pour but d'améliorer et d'accélérer le recrutement des professeurs des établissements du second degré, des écoles normales d'instituteurs et des collèges et écoles nationales techniques ; les *Centres de Promotion supérieure du travail* qui se proposent de mener au niveau de l'enseignement supérieur les jeunes gens déjà engagés dans une activité professionnelle et de les faire admettre dans les Ecoles nationales supérieures d'ingénieurs.

Enfin, dans certains pays de l'ex-France d'outre-mer devenus, en vertu de la Constitution du 5 octobre 1958, indépendants et faisant ou ne faisant pas partie de la Communauté française, fonctionnent des organismes d'enseignement supérieur qui, sous la direction ou avec le concours de la France, ne tarderont pas, comme à Saïgon, à Dalat, à Hué et à Dakar, à devenir de véritables universités. L'Institut de Dakar créé en 1950 a été transformé, le 24 février 1957, en une Université de plein exercice placée sous la direction d'un recteur et comprenant trois Facultés (Droit, Sciences, Lettres) et une Ecole nationale de Médecine et de Pharmacie. En 1959 elle comptait déjà plus de 1 500 étudiants. L'Institut de Tananarive multiplie ses chaires d'enseignement. Des classes de propédeutique ont été ouvertes à Abidjan en 1959 et un Institut adapté aux besoins de l'Afrique équatoriale à Brazzaville. D'autre part, la France a institué à l'étranger des établissements d'enseignement supérieur dont la réputation est mondiale. Nous citerons notamment : l'*Ecole française d'Archéologie d'Athènes*, fondée en 1846 pour perfectionner l'étude de la langue, de l'histoire et des antiquités grecques. L'Ecole ne donne pas d'enseignement, mais son Institut de correspondance hellénique organise des séances et réunions, dont certaines sont publiques, où sont exposés et analysés les travaux relatifs à la Grèce, les découvertes nouvelles et les correspondances de tous les pays d'Orient. Sa fonction propre consiste dans l'organisation de recherches et de fouilles dont les résultats sont publiés soit dans des ouvrages spéciaux, soit dans des bulletins. Les membres de l'Ecole d'Athènes se recrutent par la voie du concours, soit parmi les agrégés des lycées presque toujours anciens élèves de l'Ecole normale supérieure, soit parmi les candidats que recommandent leurs titres scientifiques. L'Ecole est administrée par un directeur, nommé pour six ans, par décret, sur proposition du ministre de l'Education nationale après présentation par l'Académie des Inscriptions et Belles-Lettres et par le Comité consultatif des Universités d'une double liste de deux candidats membres de l'Institut ou hauts fonctionnaires de l'Education nationale.

L'*Ecole française d'Archéologie de Rome*, instituée par les décrets du 26 novembre 1874 et du 29 novembre 1875, qui a pour objet : la préparation pratique des membres de l'École d'Athènes aux travaux qu'ils doivent faire en Grèce et en Orient ; l'étude des monuments et des bibliothèques de l'Italie ; les collections et les recherches qui lui sont demandées par l'Institut de France, par les Comités du ministère de l'Education nationale et par divers savants autorisés par le Directeur de l'Ecole. Sa fonction essentielle n'est pas de donner un enseignement, mais d'effectuer des recherches et des études dont les résultats sont publiés dans la Bibliothèque des Ecoles françaises d'Athènes et de Rome et dans les *Mélanges d'archéologie et d'histoire.* Les membres de l'Ecole sont choisis parmi les candidats présentés par l'Ecole normale supérieure, par l'Ecole des Chartes et par la section d'histoire et de philologie de l'Ecole pratique des Hautes Etudes, soit parmi les docteurs ès lettres reçus avec mention « très honorable » ou les jeunes gens signalés par leurs travaux. L'Ecole est administrée par un directeur nommé dans les mêmes conditions que celui de l'Ecole d'Athènes.

Parmi les autres établissements d'enseignement supérieur fonctionnant à l'étranger et relevant du ministère de l'Education nationale ou de celui des Affaires étrangères, il convient de citer :

Afghanistan, la Faculté de Médecine de Caboul passée sous direction française en 1946 ;

Allemagne, les Centres d'Etudes françaises d'Aix-la-Chapelle, de Brême, de Düsseldorf, d'Essen, de Hanovre, d'Heidelberg, de Mannheim, de Tubingen, les Instituts français de Berlin, de Bonn, de Cologne, de Francfort-sur-le-Main, de Fribourg-en-Brisgau, de Hambourg, de Mayence, de Munich, de Sarre-brück, de Stuttgart ;

Egypte, l'Institut français d'Archéologie orientale et l'Institut des Hautes Etudes juridiques du Caire ;

Syrie, l'Institut français d'Etudes arabes à Damas ;

Argentine, l'Institut français d'Etudes supérieures de Buenos Aires et la Fédération des Alliances françaises ;

Autriche, l'Institut français à Vienne et à Innsbruck ;

Cambodge, Faculté de Droit, Faculté de Médecine, Centre culturel à Pnom-Penh ;

Chili, l'Institut français à Santiago, l'Institut culturel franco-chilien à Concepcion et à Osorno, le Centre culturel franco-chilien à Valparaiso ;

Danemark, Institut français à Copenhague ;

Espagne, Casa Velasquez, Institut français à Madrid, Institut français à Barcelone ;

Etats-Unis, Ecole libre des Hautes Etudes (Université française de New York qui, fondée en 1941, fut d'abord une université en exil animée par des professeurs et des savants des universités françaises et belges), Institut français aux Etats-Unis à New York ; en outre, de très nombreux professeurs et maîtres de conférences sont détachés dans les différentes universités des Etats-Unis d'Amérique ;

Grande-Bretagne, Institut français du Royaume-Uni à Londres, Institut français d'Ecosse à Edimbourg et Maison française à Oxford ;

Grèce, outre l'Ecole française d'Archéologie, l'Institut supérieur d'Etudes françaises à Athènes ;

Haïti, Institut français à Port-au-Prince ;

Hongrie, Institut français à Budapest ;

Inde, Institut français à Pondichéry et Centre culturel français à Calcutta ;

Indonésie, Centre culturel français à Djakarta ;

Iran, Institut franco-iranien à Téhéran ;

Irlande, Centre culturel français à Dublin ;

Israël, Centres culturels de l'Ambassade de France à Tel-Aviv, Haïfa, Rishon, Le Zion, Beersheba, Centre culturel français à Jérusalem ;

Italie, outre l'Académie nationale de France et l'Ecole française d'Histoire et d'Archéologie, le Centre culturel français, le Centre d'Etudes supérieures à Rome, l'Institut français à Florence et à Naples, le Centre culturel franco-italien à Gênes et à Turin, le Centre culturel français à Palerme, le Centre d'Etudes et d'Information à Milan et la Bibliothèque française à Trieste ;

Japon, Maison franco-japonaise, Institut franco-japonais, Athénée français à Tokyo, Institut franco-japonais du Kansai à Kyoto ;

Laos, Service culturel de l'Ambassade à Vientiane ;

Liban, Institut français d'Archéologie, Centre d'Etudes supérieures, Ecole supérieure des Lettres, Centre de Recherches et d'Etudes mathématiques et physiques, Centre d'Etudes géographiques, Faculté française de Médecine et de Pharmacie, Institut des Lettres orientales, Faculté de Droit et des Sciences humaines, Ecole supérieure d'Ingénieurs à Beyrouth ;

Libye, Centre culturel français à Tripoli ;

Maroc, Mission Universitaire et Culturelle française à Rabat avec une centaine de professeurs français d'enseignement supérieur ;

Mexique, Institut français d'Amérique latine à Mexico ;

Norvège, Centre culturel français à Oslo ;

Pays-Bas, Institut français, Maison Descartes à Amsterdam ;

Pérou, Institut français d'Etudes andines à Lima ;

Portugal, Institut français à Lisbonne et Institut français annexe à Porto ;

Soudan, Centre culturel français à Khartoum ;

Suède, Institut français à Stockholm et Maison de France à Upsal ;

Tunisie, Mission universitaire et culturelle française à Tunis avec une soixantaine de professeurs français d'enseignement supérieur ;

Turquie, Institut français d'Archéologie et Centre culturel français à Istanbul, Centre culturel français à Ankara et à Izmir ;

Venezuela, Institut franco-vénézuélien à Caracas ;

Vietnam Sud, Faculté des Sciences, Faculté des Lettres, Faculté de Médecine et de Pharmacie, Faculté de Pédagogie, Ecole supérieure d'Architecture, Centre d'Enseignement technique supérieur à Saïgon où enseignent de nombreux professeurs français d'enseignement supérieur, Université à Dalat et à Hué employant aussi des professeurs français, Centre culturel à Saïgon ;

Yougoslavie, Centre culturel français à Belgrade et Institut français à Zagreb.

Parmi ces institutions, les unes relèvent du ministère de l'Education nationale (direction de la Coopération avec la Communauté et l'étranger), soit directement, soit par l'intermédiaire des universités auxquelles elles sont rattachées, les autres du ministère des Affaires étrangères (direction générale des Relations culturelles) ou sont reconnues par ce département.

Ajoutons que, d'une part, le Conseil d'administration et de perfectionnement des Instituts français à l'étranger, créé par le décret du 23 mars 1946, auprès du ministre de l'Education nationale et du ministre des Affaires étrangères, se prononce sur toute question qui lui est soumise concernant la vie scientifique et l'activité de ces instituts qui, par ailleurs, peuvent être rattachés à des universités françaises, d'autre part, l'Office national des Universités et Ecoles françaises a pour mission de favoriser les échanges intellectuels entre les universités françaises et les universités étrangères, d'assurer le placement des assistants et des lecteurs français à l'étranger et des étrangers en France, de centraliser et instruire les demandes de bourses pour l'étranger, de faire des échanges d'étudiants, etc. Son Comité de direction est composé des différents directeurs des ministères de l'Education nationale et des Affaires étrangères ainsi que des directeurs des grandes écoles commerciales, scientifiques et techniques. Tous les recteurs d'académie en font partie comme membres de droit.

Outre les grandes institutions dont nous venons de parler, il existe de nombreux établissements qui, sans s'intégrer dans le système universitaire français, remplissent un rôle qui leur donne le caractère d'organismes complémentaires de certaines facultés ou de certains instituts. Les uns dépendent directement du ministère de l'Education nationale, les autres relèvent d'autres départements ministériels, mais tous ont des rapports directs ou indirects avec une ou plusieurs institutions universitaires.

Parmi les premiers, nous devons mentionner : l'*Ecole normale supérieure de jeunes filles* qui forme des professeurs pour toutes les disciplines de l'enseignement du second degré (lycées et collèges de jeunes filles), et dont le recrutement est assuré par un concours d'admission analogue à celui de l'Ecole normale supérieure ; les *Ecoles normales supérieures de Saint-Cloud et de Fontenay-aux-Roses* qui, destinées spécialement à former les professeurs des écoles normales primaires d'instituteurs et d'institutrices ainsi que les inspecteurs primaires, préparent aussi à la licence, au diplôme d'études supérieures, aux certificats d'aptitude à l'enseignement du second degré et même à l'agrégation des lycées ; l'*Ecole normale supérieure de l'Enseignement technique*, qui forme, en trois années d'études, les professeurs des collèges techniques, des écoles nationales professionnelles et des écoles des métiers ; l'*Ecole nationale d'Ingénieurs des Arts et Métiers*, qui forme des ingénieurs versés dans la pratique des arts mécaniques et à laquelle est annexé un institut des matériaux et de la construction mécanique ; l'*Ecole centrale des Arts et Manufactures* dont les études portent sur une culture générale scientifique et technique et sont sanctionnées par le diplôme d'ingénieur des Arts et Manufactures ; l'*Ecole nationale supérieure de Céramique*, qui forme des ingénieurs spécialisés aptes à constituer les cadres supérieurs des industries céramiques ; l'*Ecole du Louvre* qui, destinée à former des conservateurs de musées, a aussi pour objet de donner l'enseignement de l'histoire de l'art et de l'archéologie par l'étude des collections nationales ; l'*Ecole nationale supérieure des Beaux-Arts*, qui prépare au professorat de dessin, décerne le titre d'architecte diplômé par le gouvernement et assigne à son enseignement comme sanction, la plus haute, le grand prix de Rome ; l'*Ecole nationale supérieure des Arts décoratifs*, qui a pour but de former des artistes aptes à créer des modèles nouveaux pour toutes les industries touchant soit au mobilier et au décor de la maison et de la rue, soit à la parure de l'homme, ainsi que des peintres et des sculpteurs susceptibles de devenir de bons collaborateurs des architectes ; le *Conservatoire national de Musique* et le *Conservatoire national d'Art dramatique*, qui ont des succursales dans des écoles de province ; les deux *Ecoles normales supérieures d'Education physique* de jeunes gens et de jeunes filles où sont formés les professeurs d'éducation physique des établissements publics de l'enseignement du second degré et de l'enseignement supérieur.

Parmi les grandes écoles relevant d'autres ministères, on trouve notamment : l'*Ecole nationale d'Administration*, fondée le 9 octobre 1945, pour former les fonctionnaires destinés à constituer les cadres supérieurs de l'Administration ; l'*Ecole polytechnique* dont le but est non seulement d'instruire et de former pour les Ecoles d'application des grands services publics civils et militaires des élèves possédant des connaissances scientifiques étendues, mais aussi de faciliter l'éclosion et le développement des vocations scientifiques chez les élèves présentant des aptitudes spéciales ; l'*Ecole nationale des Ponts et Chaussées* qui reçoit : 1º Des élèves-ingénieurs sortant de l'Ecole polytechnique et destinés à recruter le corps national des Ponts et Chaussées ; 2º Après concours, des élèves titulaires qui peuvent obtenir, en fin d'études, suivant la moyenne de leurs notes d'examen de sortie, le diplôme d'ingénieur des constructions civiles ou un certificat d'études ; 3º Des auditeurs libres ; l'*Ecole nationale supérieure des Mines* qui forme des ingénieurs des mines pour les services de l'Etat et pour l'industrie privée et dont les élèves sont recrutés de la même façon que ceux de l'Ecole nationale des Ponts et Chaussées ; l'*Ecole nationale des Mines de Saint-Etienne* qui forme des ingénieurs civils aptes à diriger des exploitations de mines et des usines métallurgiques et dont le recrutement est assuré par la voie d'un concours annuel ; l'*Ecole navale* destinée à former les officiers de la Marine de guerre et dont l'accès est subordonné à un concours ; l'*Ecole spéciale militaire*, qui a pour objet la formation, après admission par voie de concours, des officiers d'infanterie, des chars de combat et de la cavalerie ; l'*Ecole nationale de la France d'outre-mer* (1), école de vocation qui prépare ses élèves, recrutés par concours, aux fonctions d'administrateurs dans les territoires d'outre-mer ; l'*Ecole supérieure d'Application d'Agriculture tropicale*, qui forme des directeurs, des ingénieurs et des agents techniques pour les exploitations et des spécialistes de laboratoires ; l'*Institut national agronomique*, dont les élèves recrutés par concours sont formés en vue de devenir des agriculteurs possédant les connaissances scientifiques nécessaires pour la meilleure exploitation du sol, des administrateurs pour les services publics ou privés intéressés à l'agriculture, des fonctionnaires de l'Etat chargés des affaires agricoles, des officiers des Eaux et Forêts et des Haras, des ingénieurs du Génie rural, des professeurs des Ecoles d'agriculture, des agents des Tabacs, des directeurs pour les syndicats et les coopératives, des chimistes ; l'*Ecole nationale du Génie rural* et l'*Ecole nationale des Eaux et Forêts*, qui reçoivent, comme écoles d'application, à leur sortie de l'Ecole polytechnique ou de l'Institut agronomique, des élèves destinés aux fonctions d'ingénieur du génie rural ou à la gestion du domaine boisé de l'Etat et des communes ; les *Ecoles nationales vétérinaires*, consacrées à l'étude et à l'enseignement de tout ce qui concerne la production, la conservation, la consommation et l'exploitation des animaux, notamment l'hygiène, la médecine, la chirurgie et la pharmacie des animaux domestiques, ainsi que l'utilisation et le contrôle des produits d'origine animale ; l'*Ecole nationale supérieure d'Aéronautique*, qui a pour but de former les ingénieurs militaires de l'air et les ingénieurs civils destinés à l'industrie et à la navigation aériennes ; l'*Ecole supérieure des Postes, et Télécommunications*, qui forme les ingénieurs et le personnel supérieur de l'administration ; l'*Ecole nationale supérieure des Télécommunications*, école d'application des élèves de l'Ecole polytechnique classés à leur sortie dans les services des P. et T. ; l'*Ecole du Service de Santé militaire* et l'*Ecole du Service de Santé de la Marine*, qui ont pour objet la formation des médecins et des pharmaciens militaires, avant leur admission au stage de l'*Ecole d'application du Val-de-Grâce* ; l'*Ecole supérieure de Physique et Chimie industrielles de la Ville de Paris* où ont enseigné de grands savants parmi lesquels Pierre Curie et Paul Langevin, et dont l'objet est de donner à des élèves recrutés, chaque année, par

(1) Cette école a été remplacée par un institut créé par l'ordonnance du 5 janvier 1959, qui est chargé de la formation des candidats aux emplois supérieurs de l'administration publique des pays d'outre-mer, membres de la Communauté.

concours dans le département de la Seine, une instruction spéciale scientifique et pratique pour les rendre aptes à remplir les fonctions d'ingénieur dans les industries physiques et chimiques ; l'*Ecole spéciale des Travaux publics, du Bâtiment et de l'Industrie*, qui prépare aux services techniques des grandes administrations : Ponts et Chaussées, Ville de Paris, Chemins de fer, et à divers diplômes d'ingénieurs ; l'*Ecole d'Application des Manufactures de l'Etat* (Service d'exploitation industrielle des Tabacs et Allumettes S.E.I.T.A.) ; l'*Ecole d'Application* chargée de former les administrateurs et les attachés de l'Institut national de la Statistique et des Etudes économiques et les statisticiens économistes pour les services de statistique des entreprises industrielles et commerciales ; la *nouvelle Ecole d'Organisation économique et sociale* chargée de la formation pratique et du perfectionnement des cadres supérieurs de l'Economie française ; l'*Institut français du Pétrole, des Carburants et Lubrifiants* ; l'*Institut supérieur des Matériaux et de la Construction mécanique* ; l'*Ecole nationale supérieure du Génie maritime* ; l'*Ecole nationale du Génie rural* ; l'*Institut technique de Pratique agricole* ; l'*Ecole nationale des Sciences géographiques* ; l'*Institut supérieur de l'Alimentation* ; l'*Ecole technique supérieure du Laboratoire* ; l'*Ecole supérieure de Fonderie* ; l'*Ecole supérieure de Soudure* ; l'*Ecole technique supérieure de Dessin appliqué* ; l'*Ecole spéciale d'Architecture* ; l'*Ecole normale nationale d'Apprentissage* ; l'*Ecole de Législation professionnelle* ; l'*Ecole des Hautes Etudes commerciales*, qui prépare à la direction des affaires et aux situations élevées du commerce, de l'industrie et de la banque ; l'*Ecole de Haut Enseignement commercial* pour jeunes filles ; l'*Ecole supérieure de Commerce* ; l'*Ecole supérieure des Sciences économiques et commerciales.*

Les facultés, la plupart des grands établissements d'enseignement supérieur et presque toutes les grandes écoles, dont nous venons de parler, recrutent leurs étudiants parmi les élèves qui, de douze à dix-huit ou vingt ans, ont reçu, dans les lycées nationaux et les lycées municipaux classiques et modernes, les lycées techniques, les écoles normales d'instituteurs, une culture sanctionnée par les examens du baccalauréat de l'enseignement secondaire. On peut donc considérer ces établissements comme chargés de donner l'instruction préparatoire à l'enseignement supérieur.

Le statut du 17 mars 1808 avait établi entre les lycées et les facultés un lien très étroit. Il disposait, en effet, que le baccalauréat de l'enseignement secondaire était un grade d'Etat conféré par les Facultés des Sciences et des Lettres, comme la licence et le doctorat. Il précisait, en outre, que le programme du baccalauréat devait porter sur tout ce que l'on enseignait dans les hautes classes des lycées où il était préparé, mais que l'examen était subi devant la faculté. D'où la relation permanente, instituée par la sanction du baccalauréat, entre la sortie du lycée et l'admission à la faculté. D'où, également, l'échange intellectuel et pédagogique qui, par ce moyen, s'opérait entre la faculté et le lycée. D'autres mesures renforçaient cette relation et cet échange. C'est ainsi que le décret du 17 mars 1808 prévoyait que les professeurs des classes préparatoires au baccalauréat, appelés « professeurs de belles-lettres » et « professeurs de mathématiques transcendantes », seraient, les uns, docteurs ès lettres, les autres, docteurs ès sciences, c'est-à-dire qu'ils auraient les mêmes grades que les professeurs des facultés. Et le règlement du 19 septembre 1809, en son article 24, précisait que ces professeurs étaient professeurs de faculté et qu'ils en prenaient rang hors du lycée. Ainsi ceux qui préparaient au baccalauréat et ceux qui le faisaient passer étaient des professeurs de même grade, de même rang, et composaient, en réalité, le même personnel doté des mêmes prérogatives. Quant au proviseur et au censeur des études du lycée, ils devaient être eux-mêmes, suivant le décret du 17 mars 1808, titulaires du grade de docteur ès lettres et ils étaient membres de droit du Conseil de la Faculté.

Par le baccalauréat, examen de sortie du lycée et condition d'entrée à la faculté, par le grade des professeurs et leur situation hiérarchique et administrative, la soudure était étroitement faite entre l'enseignement secondaire et l'enseignement supérieur. Par là, dans le cadre unitaire qu'il voulait établir, Napoléon avait retrouvé la tradition d'Ancien Régime et l'origine même de l'enseignement secondaire. Car les vieux collèges préparaient à la Faculté des Arts par l'entremise de la détermination qui prit vers la fin du XIVe siècle le nom de baccalauréat ; puis ils furent la Faculté des Arts elle-même. La relation entre le collège et la faculté était donc une relation historique. L'Empire détruisit le passé en ce sens qu'il rejeta les formes anciennes des universités provinciales pour les fondre, en quelque sorte, dans l'unité de l'Université de France. Mais, d'autre part, il sauva du passé universitaire un caractère essentiel, à savoir les anciennes attaches qui maintenaient une étroite association entre l'enseignement secondaire et l'enseignement supérieur.

Pendant longtemps, cette relation a été la pierre angulaire de l'édifice universitaire français. Mais, peu à peu, par suite du développement de l'ensei-

gnement secondaire et de l'orientation nouvelle donnée aux études supérieures, le lien s'est détendu au point que leur relation a cessé de se maintenir au niveau du baccalauréat pour s'établir au niveau plus élevé mais moins étendu des classes de première supérieure, de mathématiques spéciales et plus généralement des classes préparatoires aux grandes écoles, qui n'existent que dans les grands lycées et dont le recrutement est assuré par les meilleurs bacheliers sortant des lycées nationaux et municipaux classiques, modernes, techniques et des écoles normales d'instituteurs. D'autre part, les professeurs de lycée enseignant dans les classes préparatoires au baccalauréat ne sont pas obligatoirement docteurs et ne font plus partie, depuis longtemps, du personnel des facultés (1). Seuls quelques-uns de ceux qui enseignent dans les classes de première supérieure ou de mathématiques spéciales se voient confier, pour une période déterminée, un enseignement auxiliaire dans les Facultés des Lettres ou dans les Facultés des Sciences (2).

La raison d'une telle évolution réside essentiellement dans le fait que l'enseignement secondaire, dénommé depuis quelques années enseignement du

(1) Les chaires des lycées sont en principe réservées aux agrégés. Il existe à peu près autant d'agrégations que de disciplines : agrégation de philosophie, des lettres, de grammaire, d'histoire, de géographie, d'allemand, d'anglais, d'espagnol, d'italien, d'arabe, de mathématiques, de sciences physiques et chimiques, de sciences naturelles. Pour ces diverses agrégations, un concours a lieu chaque année. Le nombre des candidats à admettre est déterminé par le nombre de chaires à pourvoir et fixé d'avance par arrêté ministériel. La difficulté d'accès au titre d'agrégé des lycées varie sans doute, dans quelque mesure, avec le nombre des places mises en compétition, mais elle tient surtout à la qualité des concurrents et aux exigences de chaque jury qui font, en France, de l'agrégation des lycées, l'un des concours de recrutement dont le niveau est le plus élevé.

(2) La constitution des professeurs des classes préparatoires aux grandes écoles en un corps spécial, intermédiaire entre les professeurs de l'enseignement secondaire proprement dit et ceux de l'enseignement supérieur, rétablirait sous une forme heureuse, entre la faculté et le lycée, la liaison qui s'impose, de nos jours, au moins autant qu'en 1808.

second degré, a bien moins pour mission principale
de préparer à l'enseignement supérieur les quelques
élèves qu'il forme dans ses classes spéciales, que de
donner l'instruction plus étendue dont ils ont besoin
et pour l'acquisition de laquelle ils ont les aptitudes
requises, aux élèves qui lui viennent directement et
de plus en plus nombreux, des écoles primaires.
Autrement dit, la France ne demande plus à l'enseignement du second degré de se borner à former une
élite restreinte et tout juste suffisante pour assumer le
rôle moral, social et politique des anciennes classes
dirigeantes, mais de répandre le plus largement
possible cette culture dont il a le secret apanage
et qui consiste bien moins en la possession d'un
ample savoir utilitaire qu'en une éducation désin-
téressée de l'esprit par l'action combinée des disciplines les plus propres à développer harmonieuse-
ment les facultés mentales et à rendre l'individu apte
à se déterminer, en toute liberté, sous la seule responsabilité de son propre jugement.

L'enseignement secondaire, proclament les instructions de 1925, doit donner « un enseignement de
culture générale, visant moins à entasser des connaissances dans les mémoires qu'à former des esprits
non pas spécialisés, mais complets et bien équili-
brés ». Il tend non pas à « préparer les élèves à une
profession déterminée, ni à les aiguiller vers l'une
ou l'autre des grandes voies intellectuelles où se
déploient les activités des hommes, mais, sans les
préparer à rien, les rendre aptes à tout... à forger en
eux l'outil puissant et délicat de leurs conquêtes
futures, c'est-à-dire une pensée vigoureuse et fine ;
à prolonger le plus tard possible jusqu'au moment où
l'esprit a achevé sa formation » — c'est-à-dire jusqu'à
la classe de philosophie à qui seul le système scolaire
français demande de couronner le cycle des études

secondaires — « cette culture générale par laquelle on maintient le juste équilibre nécessaire ».

Il est certain qu'en remplissant ce rôle, les lycées et les collèges ont puissamment contribué, en cinquante ans, à faire de la France le pays où la culture humaniste est la plus répandue. Si l'élan se poursuit — et tout, depuis cinq ans : organisation d'expériences pédagogiques, méthodes actives, classes nouvelles, stages, etc., semble indiquer qu'il se poursuivra — le jour ne tardera pas à venir où l'enseignement du second degré ne sera plus, pour tous les enfants, sous des formes multiples et variées, que la suite normale et obligatoire de l'enseignement du premier degré. Déjà, les lycées de l'enseignement technique et les Ecoles normales d'Instituteurs sanctionnent leurs études par les examens du baccalauréat de l'enseignement secondaire et les études des cours complémentaires (1) de l'enseignement du premier degré se terminent par le même examen et la délivrance du même brevet que celles du premier cycle de l'enseignement du second degré.

Telles sont les caractéristiques essentielles de ce qui, dans le système scolaire français, joue le rôle, mais pas uniquement, d'enseignement préparatoire à l'enseignement supérieur. On comprend par là que, dans l'organisation administrative, financière et pédagogique aussi bien que dans le recrutement du personnel des établissements de l'enseignement du second degré, de l'enseignement technique et de l'enseignement du premier degré, la part de l'Etat soit exclusive, alors que, dans les universités et dans les établissements de l'enseignement supérieur, elle est, comme nous l'avons vu, très limitée.

---

(1) Ces établissements ont pris, en 1961, la dénomination officielle de collèges d'enseignement général et les collèges classiques et modernes celle de lycées municipaux.

Chapitre IV

L'ORGANISATION
ET LA SANCTION DES ÉTUDES

C'est dans l'organisation et la sanction des études qu'apparaît le plus clairement le double rôle de l'enseignement supérieur qui caractérise la constitution des universités françaises et en fait l'originalité.

Comme nous l'avons vu, l'Etat donne pour mission essentielle aux universités de distribuer l'enseignement nécessaire à l'exercice de professions déterminées et de faire subir aux candidats les examens qui le sanctionnent. Les grades et les diplômes, obtenus à la suite de ces examens et dont la possession est requise pour avoir accès aux différentes carrières, ne sont ni de simples titres académiques, ni de vagues attestations d'études. Ce sont des grades et des diplômes d'Etat délivrés sous le sceau du ministre de l'Education nationale. En bref, l'Etat n'a pas, en France, le monopole de l'enseignement supérieur, mais il détient le monopole de la collation des grades par la voie des examens qu'il institue, organise et surveille.

Ainsi, dans le cadre de l'autonomie dont il a doté les universités, le pouvoir central intervient pour fixer les règles d'admission des étudiants, les conditions auxquelles ils sont astreints pour être autorisés à postuler les grades et les titres de l'enseignement supérieur, la durée des études, les programmes, la procédure des examens et des concours, les droits à payer par les étudiants. Toutefois, l'Etat ne prend ses décisions qu'après avoir demandé l'avis des organismes consultatifs : Conseils et Assemblées des Facultés, Conseils des Universités, Comité consultatif des Universités, Conseil supérieur de l'Education nationale.

Mais à côté de cette préparation aux grades d'Etat et de l'enseignement, qui en est la principale raison d'être, chaque université a aussi pour mission, comme le veut la signification du vocable, d'étudier, dans l'ensemble des connaissances humaines, tout ce qui peut être objet de science et d'enseigner les méthodes grâce auxquelles la science se fait. Aussi chaque université peut-elle organiser des enseignements particuliers sanctionnés par des examens qu'elle institue et des diplômes qu'elle délivre sous sa propre responsabilité.

L'admission des étudiants dans les universités françaises n'est subordonnée à aucune discrimination en ce qui concerne la nationalité, le sexe, la race et la couleur. Les étudiants sont admis en qualité d'*inscrits* ou d'*immatriculés*. L'immatriculation n'est valable que pour une année scolaire. Elle donne le droit de suivre tout enseignement ou exercice de la faculté, de fréquenter la bibliothèque universitaire, bref de participer à toutes les activités intellectuelles des étudiants. C'est le régime de tout étudiant qui, sans viser l'obtention d'un grade ou d'un diplôme, demande seulement aux universités un complément de culture ou désire y poursuivre des recherches scientifiques.

Au contraire, l'étudiant qui veut préparer un examen en vue d'obtenir un diplôme ou un grade d'Etat, est tenu de prendre des inscriptions, trimestrielles ou semestrielles suivant le cas. A chaque grade ou diplôme correspond un nombre déterminé d'inscriptions, ce qui a pour conséquence de fixer la durée normale des études à faire. Si un étudiant interrompt la prise de ses inscriptions, il doit ensuite se faire immatriculer chaque année pour continuer à prendre part aux travaux universitaires. Il conserve ainsi le droit de passer les examens pour lesquels il était inscrit, du moins pendant un certain temps qui est au plus de deux ans. Cette limite dépassée, les inscriptions prises en vue d'un examen subi sans succès sont annulées.

Le droit d'inscription apparaît donc ainsi, à la fois comme un droit d'études et comme un droit d'examen, tandis que le droit d'immatriculation n'est qu'un droit d'études. Cependant les étudiants qui se destinent à des études sanctionnées par un diplôme d'université ne sont, en principe, astreints qu'à la simple immatriculation, sauf dans les facultés où le Conseil de l'Université a rendu les inscriptions obligatoires. En tout état de cause, quiconque est inscrit ou immatriculé sur les registres d'une faculté, a la qualité d'étudiant et est soumis à la compétence juridique, contentieuse et disciplinaire du Conseil de l'Université. Ajoutons que les facultés ont des cours publics, que l'on peut suivre sans être immatriculé ou inscrit, en qualité d'auditeur libre, c'est-à-dire sans être étudiant.

Aucun titre initial n'est exigé pour l'immatriculation. Par contre, pour être admis à s'inscrire en vue d'un grade, il faut justifier du ou des titres initiaux fixés par le règlement. En principe, le baccalauréat de l'enseignement secondaire est requis pour la licence qui est elle-même exigée pour le doctorat en droit, le doctorat ès sciences et le doctorat ès lettres. En médecine, il est nécessaire d'avoir, en plus du baccalauréat, le certificat d'études physiques, chimiques et biologiques dont la préparation est assurée par les Facultés des Sciences. Toutefois, des dispenses ou des équivalences peuvent être accordées aux étudiants.

Seuls peuvent solliciter des dispenses, les étudiants français qui justifient d'un titre français figurant sur une liste établie limitativement par décret pris après avis du Conseil supérieur de l'Education nationale et reconnu au moins équivalent au titre initial (1). Cette liste varie avec chaque discipline. Les équivalences sont réservées aux étudiants de nationalité étrangère. Elles sont concédées, soit par le ministre, soit par le recteur d'Académie si le titre présenté en équivalence figure sur une liste établie limitativement par décret après avis du Conseil supérieur de l'Education nationale. Aucune équivalence ne peut être accordée en vue des grades d'Etat de docteur en médecine et des diplômes d'Etat de chirurgien-dentiste et de pharmacien. En aucun cas, l'équivalence ne confère la propriété du grade et du diplôme dont elle dispense. Son unique effet est de permettre à celui qui l'obtient le droit de s'inscrire aux études et aux examens en vue desquels elle a été concédée. Le ministre peut aussi accorder des équivalences de titres étrangers aux Français qui ont été obligés de faire en totalité ou en partie leurs études hors de France et qui justifient d'un séjour d'au moins cinq ans à l'étranger, et des dispenses partielles ou totales de scolarité ainsi que des dispenses partielles d'examens, aux étrangers qui postulent tel ou tel diplôme

---

(1) Le décret du 27 novembre 1956 autorise l'admission dans les diverses facultés des universités françaises, des étudiants non titulaires du baccalauréat de l'enseignement secondaire, s'ils justifient des connaissances et des qualités nécessaires pour bénéficier de l'enseignement universitaire soit par la possession d'un autre diplôme qui les garantit, soit en satisfaisant à un examen spécial dont les modalités ont été fixées par les arrêtés du 5 novembre 1957.

français, s'ils justifient avoir accompli des études jugées au moins équivalentes à celles dont ils demandent à être dispensés. Mais, en ce qui concerne la médecine et la chirurgie dentaire, la loi qui réglemente l'exercice de ces professions a restreint les pouvoirs du ministre en matière de concession de dispenses et d'équivalences en déterminant le nombre maximum d'années de scolarité dont il est possible de dispenser les étrangers qui s'inscrivent pour le grade d'Etat de docteur en médecine ou pour le diplôme de chirurgien-dentiste et en supprimant pour eux toute dispense d'examens.

Ajoutons que, depuis 1948, avant d'être admis à suivre l'enseignement spécialisé en vue du grade de licencié dans les Facultés des Lettres et des Sciences humaines et dans les Facultés des Sciences, les étudiants doivent avoir subi avec succès les épreuves d'un certificat préparatoire par lequel est sanctionnée la première année d'études appelées propédeutique. Ce stage d'un an s'est révélé nécessaire pour mettre les jeunes bacheliers en état de suivre avec profit l'enseignement donné dans les Facultés des Sciences et dans les Facultés des Lettres et des Sciences humaines de même que, depuis longtemps, s'était révélée indispensable, pour les futurs étudiants en médecine, une année préparatoire sanctionnée par le certificat d'études physiques, chimiques et biologiques. Des dispenses sont accordées notamment aux bacheliers qui ont suivi dans un lycée les classes de première supérieure, de mathématiques spéciales, etc., ainsi qu'à ceux qui n'ayant pas été reçus au concours d'entrée à l'Ecole normale supérieure ont été nommés boursiers de licence.

L'institution d'une telle mesure dans les Facultés des Sciences et dans les Facultés des Lettres et des Sciences humaines peut être considérée comme le prélude d'une organisation qui s'étendra à toutes les facultés et qui, tôt ou tard, se traduira par la création auprès de chaque université d'un centre de préparation aux études supérieures. Grâce à la réunion, dans ces centres, de toutes les disciplines éducatives, grâce aux cours d'initiation qui en seraient la base, grâce aussi à l'échange continuel des idées qui s'établirait entre les étudiants, les aptitudes et les goûts trouveraient leur voie, les vraies vocations s'affermiraient et tel qui, au lycée, se destinait aux mathématiques, reconnaîtrait qu'il est fait pour étudier le droit ou la médecine.

Pour les études en vue des diplômes et des titres d'université, les conditions d'admission sont fixées par le Conseil de chaque université sur la proposition de la faculté intéressée. En général, le grade de bachelier de l'enseignement secondaire est exigé. A défaut, l'étudiant doit être titulaire d'un titre équivalent, ou subir avec succès un examen témoignant son aptitude à suivre l'enseignement de la faculté. Dans certains instituts de faculté ou d'université, l'admission se fait par concours, pour un nombre limité de places.

Les grades d'Etat fondamentaux sont encore de nos jours ceux qui furent institués en 1808 : le baccalauréat, la licence et le doctorat. Les conditions d'obtention en sont très différentes suivant les disciplines qu'ils sanctionnent.

Le baccalauréat de l'enseignement secondaire qui, jusqu'en 1902, porta le nom de baccalauréat ès lettres ou de baccalauréat ès sciences, est délivré à la suite d'un examen subi en deux ans à la fin de la classe de première et de la classe de philosophie, de sciences expérimentales ou de mathématiques. Cet examen sanctionne donc des études secondaires et non des études supérieures, mais les jurys devant lesquels il est subi sont présidés par les professeurs des facultés, désignés par les doyens qui, au regard du règlement, restent responsables du choix des sujets des épreuves écrites, de l'organisation matérielle et de la police de l'examen. Par contre, la licence et le doctorat sanctionnent des études supérieures à la suite d'examens dont chaque faculté a complètement la charge.

La durée des études normales, sanctionnées par la délivrance du grade de licencié dans les Facultés de Droit et des Sciences économiques, a été portée par le décret du 27 mars 1954 de trois à quatre ans. En vertu de ce décret, le régime des études préparatoires à la licence est divisé en deux cycles ayant chacun une durée de deux ans. Le premier cycle est commun à tous les étudiants. L'examen qui en sanctionne les études confère le grade de bachelier en droit. Le deuxième cycle comporte trois sections (droit privé, droit public et sciences politiques, économie politique) et conduit au grade de licencié en

droit. Un décret en date du 17 août 1959 a institué
une licence ès sciences économiques qui se substitue
à la licence en droit mention économie politique,
et dont la structure vient d'être fixée par le décret
du 6 août 1960. Pendant la scolarité des deux cycles,
tous les étudiants sont astreints à des travaux pratiques et une épreuve spéciale destinée à les sanctionner est prévue aux programmes de tous les
examens.

Après la licence, deux années dont l'enseignement est
sanctionné par des diplômes d'études supérieures sont nécessaires pour accéder au doctorat (doctorat en droit, doctorat
ès sciences économiques institué en 1948, doctorat ès sciences
politiques institué en 1956), qui comporte la soutenance
publique d'une thèse. Mais la plupart des étudiants en droit
ne poussent pas leurs études au delà de la licence. Le grade
de docteur n'est en effet exigé que des candidats à quelques
carrières et au concours d'agrégation des Facultés de Droit
et des Sciences économiques. Outre la licence et le doctorat,
les Facultés de Droit et des Sciences économiques délivrent le
certificat de capacité en droit qui est accessible aux étudiants
français et étrangers sans condition de grade initial ou de
diplôme équivalent, après deux années d'études sanctionnées
par des examens. Enfin, le décret du 28 juillet 1955 autorise les
Facultés de Droit et des Sciences économiques à délivrer le
certificat d'aptitude à l'administration des entreprises. La
préparation à ce certificat est accessible aux licenciés en droit
ou ès sciences, ou ès lettres ainsi qu'aux pharmaciens et aux
ingénieurs diplômés de certaines écoles (1).

Dans les Facultés des Sciences, le régime des
études préparatoires à la licence ès sciences fixé
par les deux décrets du 8 août 1958 permet aux
étudiants d'accéder au grade de licencié au bout
de trois années (année de propédeutique comprise).

(1) L'institution de ce certificat a provoqué la création d'instituts
de préparation aux affaires par les Facultés de Droit et des Sciences
humaines notamment à Paris, Marseille, Montpellier, Rennes,
Bordeaux, Lille, Strasbourg, Toulouse, Lyon, Poitiers, Nantes qui
contribuent à accroître les relations entre les universités et les
milieux d'affaires.

La licence comprend cinq certificats d'études supérieures (six pour la licence d'enseignement). Il y a
huit types de licence ès sciences : mathématiques,
mathématiques appliquées, physique I, physique II,
chimie, sciences biologiques, sciences de la terre,
chimie physiologique. Les licences d'enseignement
de mathématiques appliquées, de physique II (avec
un certificat d'électronique ou d'électro-technique)
et de chimie physiologique répondent principalement
aux besoins de l'enseignement technique. L'étudiant
est libre d'opter pour tel ou tel groupement de
certificats d'études supérieures, mais les services
— et c'est le cas pour ceux de l'enseignement — qui
exigent la possession d'une licence ès sciences pour
accéder à certaines fonctions, peuvent préciser les
certificats particuliers qui leur paraissent nécessaires.

Les Facultés des Sciences préparent, en outre,
après une année de scolarité et sur un programme
précis, au certificat d'études physiques, chimiques
et biologiques (P.C.B.), qui, comme nous l'avons
déjà indiqué, est nécessaire, avec le grade de bachelier de l'enseignement secondaire, pour l'inscription
dans les Facultés et les Ecoles de Médecine. D'autre
part, les Facultés des Sciences délivrent le titre
d'ingénieur-docteur. Ce titre scientifique, créé en
vue de favoriser les recherches concernant les
applications de la science, ne confère aucune des
prérogatives attachées au grade d'Etat de docteur
ès sciences. Il est accessible aux titulaires d'un
diplôme d'ingénieur créé ou reconnu par l'Etat et
de trois certificats d'études supérieures de sciences,
après deux années d'études et de recherches dans
un laboratoire d'une Faculté des Sciences et plus
spécialement d'un des Instituts transformés en
Ecoles nationales d'Ingénieurs. Enfin, en applica-

tion des décrets du 20 juillet 1954 et du 8 janvier 1955, il a été créé et organisé, dans les Facultés des Sciences, un troisième cycle d'enseignement destiné à initier les étudiants à la recherche scientifique et à leur donner des connaissances approfondies dans les spécialités dont la liste varie avec les facultés. Ces études ont un caractère essentiellement pratique. Les étudiants doivent fréquenter pendant deux années un laboratoire de recherches et préparer une thèse en vue d'obtenir un diplôme de docteur de spécialité dont le niveau moins élevé que celui du grade de docteur ès sciences (doctorat d'Etat), correspond à celui des docteurs étrangers.

Dans les Facultés des Lettres qui, en prenant la dénomination de Faculté des Lettres et des Sciences humaines, ont voulu souligner l'importance prise par la sociologie, l'ethnologie, la démographie, la géographie humaine, l'étude historique des civilisations, la durée des études sanctionnées par l'accession au grade de licencié ès lettres est de trois ou quatre ans (année de propédeutique comprise). La licence ès lettres comprend quatre certificats d'études supérieures de lettres. L'étudiant peut opter pour tel ou tel groupement de certificats. Mais, comme pour la licence ès sciences, la possession de certificats spécialement désignés peut, dans certains cas, être exigée.

Les Facultés des Lettres et des Sciences humaines délivrent, en outre, une licence de psychologie nouvellement instituée qui comporte quatre certificats d'ordre littéraire dont trois de caractère psychologique et un certificat scientifique de psychophysiologie. Elles délivrent aussi un certificat d'expert-géographe de création récente. Enfin, le décret du 19 avril 1958 a institué, dans les Facultés des Lettres et Sciences humaines, un troisième cycle d'études supérieures des lettres en vue d'offrir aux étudiants pourvus de la licence ès lettres les moyens de s'intéresser aux méthodes de la recherche. Le régime des études comprend des conférences et des travaux pratiques. Ce cycle s'adresse à ceux qui veulent devenir agents techniques du Centre national de la Recherche scientifique ou participer aux recherches des centres d'études d'ethnologie, de sociologie, de psychologie sociale, de psychologie expérimentale, de géographie humaine, d'histoire, ou à l'établissement des éditions de textes classiques.

Certaines dispositions sont communes au régime des études et à la procédure des examens dans les Facultés des Sciences et dans les Facultés des Lettres et Sciences humaines. Depuis 1957 ont été créés dans ces facultés des instituts de préparation au certificat d'aptitude aux enseignements scientifiques et littéraires du second degré. Ces instituts sont ouverts aux licenciés qui se destinent à l'enseignement. Mais, depuis toujours, c'est aux Facultés des Sciences et aux Facultés des Lettres et Sciences humaines qu'incombe la charge de préparer les candidats au concours des diverses agrégations scientifiques ou littéraires des lycées. Pour prendre part à ce concours, les candidats doivent être en possession de certains groupes de certificats d'études supérieures constituant la licence et du diplôme d'études supérieures correspondantes, qui consiste en la discussion publique d'un mémoire écrit sur un sujet agréé par la faculté suivie d'interrogations ou d'explication de textes.

La préparation au doctorat ès sciences et au doctorat ès lettres ne fait pas l'objet d'un enseignement magistral. Seuls sont requis l'agrément par la faculté du sujet choisi par le candidat et la désignation d'un professeur comme « patron de thèse ». Le doctorat ès sciences et le doctorat ès lettres représentent des travaux importants aboutissant à des résultats scientifiques originaux, à des critiques, à des explications et à des théories nouvelles, dont la découverte et la mise au point ont exigé de longues années de recherche et de préparation. Ce sont des diplômes de haute valeur délivrés après une soutenance publique et qui ne sont obtenus avec la mention « très honorable » que par un nombre restreint de candidats.

Le grade de licencié qui était délivré, avant 1808, par les Facultés de Médecine comme par les autres facultés, n'existe plus depuis cette date. C'est le grade de docteur en médecine qui est, pour tous les étudiants, la sanction normale des études médicales dont le régime vient d'être modifié par le décret du 28 juillet 1960 et par l'arrêté du 2 août 1960. En application de ces textes, la durée des études a été portée de sept à huit ans (y compris l'année de P.C.B.). D'autre part, les étudiants doivent tous recevoir à l'hôpital, par petits groupes, un enseignement qui leur permettra de mieux assimiler les connaissances données par l'enseignement théorique dispensé à la faculté. Ainsi se trouvera mieux assurée la formation clinique de tous les étudiants que seuls, dans l'Ancien Régime, pouvaient acquérir les étudiants reçus au concours de l'externat et au concours de l'internat des hôpitaux. Enfin le décret du 6 août 1960 a institué, dans les Facultés de Médecine, un cycle d'enseignement préparatoire à la recherche en biologie humaine ayant pour objet, d'une part, de donner une solide formation scientifique aux étudiants en médecine qui désirent s'orienter vers la recherche, d'autre part de former le personnel chargé de l'enseignement des sciences fondamentales dans les Facultés de Médecine.

Le nouveau régime des études médicales qui demeure sanctionné par des examens annuels est la conséquence de la mise en application de l'ordonnance du 30 décembre 1958 qui a créé les Centres hospitaliers et universitaires où les membres du personnel médical et scientifique exercent conjointement les fonctions universitaires et hospitalières auxquelles ils consacrent toute leur activité professionnelle.

Le régime scolaire est à peu près analogue pour les

études de pharmacie et les études dentaires. Mais le titre qui les sanctionne ne s'appelle ni licence, ni doctorat. Les études de pharmacie comportent d'abord un stage d'une année dans une des officines désignées par la faculté. Un examen de validation sanctionne ce stage qui est suivi de quatre années de scolarité dans une Faculté de Pharmacie ou une Faculté ou Ecole mixte de Médecine et de Pharmacie. Le titre final, décerné après trois examens probatoires qui constituent la sanction de la quatrième année, est le diplôme d'Etat de pharmacien (1), exigé de quiconque veut exercer en France la profession de pharmacien.

Quant aux études dentaires, elles comportent également un stage et trois années de scolarité dans une Ecole dentaire ou dans une Faculté de Médecine. Le titre obtenu en fin d'études est le diplôme d'Etat de chirurgien-dentiste qui est nécessaire à ceux qui, ne possédant pas le grade d'Etat de docteur en médecine, veulent exercer l'art dentaire en France.

D'une façon générale, la tendance est de chercher de plus en plus à relever le niveau de tous ces examens qui donnent droit à un grade ou à un diplôme d'Etat et à en accroître la difficulté. C'est, dans ce but, qu'on a institué d'abord des compositions écrites dans certains examens qui pendant longtemps n'ont comporté que des épreuves orales (droit, médecine première et deuxième années) et décidé l'élimination définitive, en médecine, après un certain nombre d'échecs, puis, tout dernièrement, retiré l'autorisation de se présenter à la deuxième session aux candidats qui n'ont pas obtenu pour l'ensemble des épreuves, lors de la première session, la moyenne

---

(1) Ce diplôme peut être complété par le diplôme supérieur de pharmacien qui est délivré, après soutenance de thèse, aux pharmaciens licenciés ès sciences physiques ou ès sciences naturelles ou qui, à défaut de ce grade, ont accompli une année complémentaire d'études dans une faculté et subi avec succès l'examen qui la sanctionne.

de 7 sur 20, presque tous les examens comportant deux sessions, l'une à la fin de l'année scolaire, l'autre à la fin des grandes vacances.

En dehors des grades et diplômes d'Etat dont nous venons de parler, les universités peuvent décerner des diplômes et des titres universitaires destinés à sanctionner les enseignements d'un caractère particulier que la loi de 1896 les autorise à instituer : histoire locale, sciences appliquées, études techniques, enseignement spécialement adapté aux étudiants étrangers, cours de perfectionnement ou de spécialisation en médecine, etc. S'ajoutant aux enseignements fondamentaux communs à toutes les universités, ces enseignements spéciaux ou complémentaires apportent dans l'organisation de l'enseignement supérieur français une diversité dont l'utilité est incontestable et donnent à chaque université une physionomie particulière.

C'est le Conseil de chaque université qui détermine les conditions d'accès aux enseignements spéciaux qu'elle institue, la durée de la scolarité, la nature et le programme des études, les droits à percevoir, les modalités des examens. Les sanctions sont des diplômes d'université, titres académiques délivrés sous le sceau du recteur agissant, non pas comme délégué du ministre de l'Education nationale, mais en qualité de président du Conseil de l'Université. Les délibérations de chaque Conseil relatives à l'institution des diplômes d'université ne sont exécutoires qu'après l'approbation du ministre, qui n'est elle-même donnée qu'après avis du Conseil supérieur de l'Education nationale ou de sa section permanente (1).

Les diplômes d'université qui sanctionnent, non pas des études particulières, mais les mêmes études que celles qui conduisent à des grades d'Etat, ne diffèrent des diplômes d'Etat que par les titres initiaux nécessaires pour la première inscription. Ainsi les diplômes d'Etat de docteur en médecine, de pharmacien, de chirurgien-dentiste, qui donnent par eux-mêmes aux Français qui en sont titulaires, le droit d'exercer la profession correspondante, impliquent la possession obligatoire de titres initiaux français sans équivalence possible. Les étrangers qui ne possèdent pas ces titres initiaux et qui, cependant, ont reçu dans leur pays une culture secondaire,

---

(1) Ce contrôle se justifie par la nécessité de ne pas laisser se créer des différences trop accentuées entre le niveau des examens et la valeur des diplômes délivrés sous le même nom par différentes universités.

peuvent être admis, sur l'examen de leurs titres étrangers, à suivre les mêmes études médicales, pharmaceutiques ou dentaires, à subir les mêmes épreuves, mais il ne peut leur être délivré un diplôme d'Etat. Aussi les universités ont-elles créé à leur intention des diplômes d'université correspondants. Mais ces diplômes n'ont qu'un caractère et une garantie universitaires qui ne confèrent pas le droit à l'exercice en France de la profession correspondante, bien qu'ils représentent le même niveau de culture que les diplômes d'Etat.

Il n'en est pas de même pour les doctorats d'université institués dans les facultés des sciences et des lettres. Le doctorat ès sciences et plus encore peut-être le doctorat ès lettres, grades d'Etat, représentent, comme nous l'avons déjà dit, un travail considérable et de longue haleine qui est beaucoup plus souvent l'œuvre d'un homme fait que celle d'un étudiant. On ne saurait leur comparer le doctorat des universités allemandes ou des universités anglo-saxonnes qu'on pourrait, semble-t-il, plus équitablement rapprocher du diplôme d'études supérieures. Il a donc paru nécessaire d'instituer, dans les Facultés des Sciences et des Lettres et Sciences humaines, un titre du même niveau que celui des diplômes étrangers et impliquant une thèse d'une étendue et d'une importance moindres que celles des thèses scientifiques et littéraires pour le doctorat d'Etat.

Ajoutons enfin que les Facultés de Droit, de Médecine, de Pharmacie préparent au concours d'agrégation des facultés correspondantes, tandis que les Facultés des Sciences et des Lettres et Sciences humaines préparent au concours des agrégations scientifiques et littéraires des lycées, et toutes à certains concours de recrutement (1).

(1) D'autre part, depuis que l'ordonnance du 9 octobre 1945 a institué l'Ecole nationale d'Administration, certaines universités, comme celles de Paris, Lyon, Strasbourg, Grenoble, Toulouse, Alger, ont créé des instituts plus particulièrement tournés vers la préparation au concours d'admission à cette école.

CHAPITRE V

L'AIDE AUX ÉTUDIANTS
ET LES ŒUVRES UNIVERSITAIRES

Le premier devoir de l'Etat, en matière d'instruction et d'éducation, n'est pas seulement d'offrir à la jeunesse tous les régimes d'études appropriés aux aptitudes et aux besoins de chacun, c'est aussi d'assurer les avantages et les bienfaits de ces études à tous les enfants qui ont les dispositions morales et les facultés intellectuelles et physiques nécessaires pour en tirer parti. Cette obligation résulte encore moins du droit des individus que de l'intérêt bien compris de la société. Si l'individu est fondé à réclamer les moyens de développer et d'utiliser les talents que la nature lui a départis, la société tout entière est intéressée au plus haut point à ce que ces talents ne restent ni ignorés, ni improductifs.

C'est pour répondre à ce double besoin qu'ont été instituées les bourses d'études, qui ont existé de tout temps dans l'organisation universitaire française.

Mais, sous l'Ancien régime, l'Etat ne paraît pas s'être exactement rendu compte, à cet égard, des devoirs qui sont les siens. Les bourses fort nombreuses d'ailleurs, dont bénéficiait la vieille Université de Paris, émanaient de l'initiative privée ; elles avaient exclusivement le caractère de fondation charitable et leur collation n'était soumise à aucun règlement précis. Il fallut attendre la Constituante et la Convention pour voir surgir l'idée d'instituer des bourses nationales. Dans son admirable rapport du 19 octobre 1791, sur l'Instruction publique, Talleyrand préconisa l'octroi de bourses fondées par l'Etat et distribuées entre les départements pour assurer aux jeunes talents une éducation complète. Et Lakanal déclarait plus tard à la Convention : « La nation accordera aux enfants peu fortunés qui auront montré dans les écoles nationales le plus de dispositions pour les sciences, lettres et arts, des secours qui les mettent à portée d'acquérir des connaissances supérieures et des talents dans les écoles particulières. »

Ce fut l'Empire qui se chargea de mettre le principe en application. Napoléon Ier fonda d'un seul coup six mille quatre cents bourses sur lesquelles deux mille quatre cents étaient destinées à récompenser les services des parents dans la personne de leurs enfants, les autres devant être attribuées au concours. Mais, en 1852, de Fortoul supprimait le concours et partant du seul principe que « l'institution des bourses nationales avait pour objet de récompenser les services rendus à l'Etat par les fonctionnaires civils et militaires », il décidait que les boursiers seraient nommés par le chef de l'Etat. Ainsi comprises, les bourses ne répondaient plus à leur véritable objet. Elles n'étaient ni un moyen d'émulation, ni une espérance pour le recrutement des carrières libérales et des fonctions publiques. Elles devenaient purement et simplement un instrument de règne.

Aussi la IIIe République, dès qu'elle entreprit d'organiser l'enseignement, eut-elle soin de mettre la concession des bourses nationales un peu plus en harmonie avec les règles de la justice sociale et avec les exigences de la pédagogie. Et, peu à peu, on a vu le gouvernement se préoccuper de venir en aide aux étudiants sous les formes les plus variées, soit en prenant à sa charge le règlement total ou partiel de leurs frais d'études, soit en leur attribuant des bourses d'entretien, soit en subventionnant des œuvres sociales créées à leur profit, soit en organisant des institutions comme les services de santé universitaire et scolaire, soit en leur accordant le bénéfice de la Sécurité sociale.

L'aide de l'Etat s'exerce ainsi d'une façon directe par l'octroi de bourses, de prêts d'honneur, de dispenses et de remises de droit, et d'une façon indirecte par des subventions accordées aux restaurants universitaires, aux cités universitaires, aux comités de patronage, aux associations d'étudiants, aux foyers et maisons d'étudiants, aux dispensaires antituberculeux et aux sanatoria d'étudiants, au Bureau universitaire de Statistique, à l'Office du Tourisme universitaire.

Les bourses nationales, qui existent aussi dans les autres ordres d'enseignement bien que les études y soient gratuites, peuvent être accordées, en ce qui concerne l'enseignement supérieur, dont la gratuité n'a pas encore été proclamée, près les Facultés des Lettres et Sciences humaines, en vue de l'obtention de la licence, du diplôme d'études supérieures, du certificat d'aptitude aux enseignements du second degré (1), de l'agrégation des lycées et du doctorat d'Etat ; près les Facultés des Sciences, en vue de l'obtention du certificat d'études physiques, chimiques et biologiques, de la licence, du diplôme d'études supérieures, du certificat d'aptitude aux enseignements du second degré (1), de l'agrégation des lycées et du doctorat d'Etat ; près les Facultés de Médecine, de Pharmacie et les Facultés ou Écoles mixtes de Médecine et de Pharmacie, en vue du doctorat en médecine, du diplôme de pharmacien et du diplôme de chirurgien-dentiste ; près les Facultés de Droit et des Sciences économiques, en vue de la licence, du doctorat et de l'agrégation ; près les instituts des facultés et des universités, en vue de diplômes spéciaux.

L'octroi des bourses dans l'enseignement supérieur n'est pas soumis à des règles uniformes comme dans les autres ordres d'enseignement. Un concours commun assure, chaque année, le recrutement des élèves de l'Ecole normale supérieure (lettres et sciences). Le jury arrête la liste des candidats admis comme pensionnaires à l'Ecole où l'internat est gratuit et celle des candidats qui, moins bien classés pour l'ensemble du concours, mais admissibles aux épreuves écrites, pourront bénéficier d'une bourse de licence. Cette bourse, après l'obtention de la licence, est automatiquement transformée en bourse de diplôme d'études supérieures, puis en bourse d'agrégation. Peuvent aussi obtenir des bourses d'Etat dans les Facultés des Lettres et des Sciences humaines et des Sciences, les candidats à une licence d'enseignement, les candidats à l'agrégation des lycées, et dans les Facultés des Sciences, les candidats au certificat d'études physiques, chimiques et biologiques. Mais leur attribution est subordonnée, pour le début

(1) En fait, les étudiants qui préparent ce certificat contractent l'engagement de servir dans l'enseignement pendant dix ans et perçoivent un traitement.

des études, à la possession de titres initiaux comportant certaines mentions et ensuite à l'obtention d'une certaine moyenne dans les examens subis au cours de la scolarité. Il en est de même pour les bourses accordées près les Facultés de Droit et des Sciences économiques, de Médecine et de Pharmacie. Seuls les étudiants pupilles de la nation peuvent postuler une bourse sans avoir besoin de remplir d'autres conditions que celle d'être titulaire des grades et des diplômes requis pour entrer dans l'enseignement supérieur. Le principe est que l'Etat doit s'efforcer de faire, pour tout pupille de la nation, ce qu'aurait fait le père.

La procédure d'attribution des bourses d'Etat comporte d'abord l'instruction de la demande par la faculté compétente et la transmission du dossier au recteur qui le soumet à l'examen de la Commission régionale, puis la proposition de cette Commission et, le cas échéant, la fixation du taux de la bourse, enfin la décision du recteur.

L'existence des bourses d'Etat ne fait pas obstacle à la création de bourses par les universités. Celles-ci peuvent accorder, sur leurs propres ressources ou sur des fonds particuliers qu'elles ont constitués, des bourses et des exonérations suivant des conditions et des modalité analogues à celles qui réglementent l'attribution des bourses d'Etat.

D'autre part, concurremment avec le système des bourses fonctionne, depuis 1923, un système de prêts d'honneur. Le Parlement, en instituant des prêts d'honneur au profit de « tout Français poursuivant des études supérieures », avait décidé que ces prêts seraient accordés par un *Office national*, établissement public doté de la personnalité civile, de l'autonomie financière et rattaché au ministère de l'Education nationale. Depuis 1934, le soin d'assurer le service des prêts d'honneur aux étudiants de l'enseignement supérieur a été enlevé à cet organisme spécial et remis aux universités elles-mêmes. Le ministère de l'Education nationale, en application du décret du 1er septembre 1934, répartit entre les universités le crédit budgétaire voté chaque année par le Parlement. Dans chaque université, un Comité placé sous la présidence du recteur procède à l'attribution des prêts dans la limite des crédits mis à sa disposition, crédits auxquels viennent s'ajouter, le cas échéant, des ressources propres, provenant de subventions ou de dons faits avec affectation spéciale. C'est au recteur que le candidat ou la candidate à un prêt d'honneur doit adresser sa demande écrite, accompagnée de la justification de la nationalité française, d'un certificat médical attestant que son état de santé lui permet de poursuivre ses études, des certificats et pièces établissant sa scolarité, d'un état indiquant sa situation ou celle de sa famille, complété, s'il y a lieu, par la production des feuilles d'impôts. Ce dossier doit comprendre, en outre, le casier judiciaire du candidat, pièce réclamée directement par le recteur au greffe du tribunal. La procédure des remboursements est des plus simples. Le prêt d'honneur ayant exclusivement un caractère d'obligation morale, le non-remboursement ne peut entraîner aucune sanction pénale ou financière. Quand le bénéficiaire d'un prêt a terminé ses études, le recteur lui rappelle l'importance de l'engagement d'honneur qu'il a pris. Il appartient ensuite à l'intéressé, dès que sa situation le lui permet, de répondre aux appels qui lui sont faits et de se libérer. Presque tous les remboursements dépassent le montant de la somme prêtée.

A ce régime de bourses et de prêts d'honneur viennent s'ajouter des dispenses et des exonérations de droits universitaires prévues par des dispositions légales et réglementées par des instructions ministérielles. Peuvent bénéficier de cet avantage notamment les boursiers d'Etat, les lauréats du concours général des lycées et des collèges, les lauréats des facultés de droit, les enfants des professeurs de faculté et des autres fonctionnaires de l'enseignement public. Enfin, sur décision du Conseil de l'Université un certain pourcentage d'étudiants peuvent être dispensés en totalité ou en partie des droits d'inscription. Le ministère de l'Education nationale rembourse aux universités et aux facultés le montant de ces droits dont la gratuité est imposée par l'Etat. Par contre, les dispenses accordées par les Conseils d'Université portant sur les droits perçus à leur profit ne font l'objet d'aucun remboursement.

L'aide apportée aux étudiants par ce système de bourses, de prêts d'honneur, de dispenses et d'exonérations a permis jusqu'à présent aux universités françaises d'ouvrir leurs portes à des jeunes gens et à des jeunes filles, chaque année plus nombreux, qui sans cela auraient été obligés d'interrompre leur carrière scolaire avant d'avoir développé leurs talents et satisfait leurs aptitudes. Il est certain que ce système a donné à la France de grands savants, de grands industriels, de grands commis et de grands hommes d'Etat, en même temps qu'un très grand nombre d'écrivains, d'artistes, de médecins, d'avocats, de professeurs, d'ingénieurs. Bref, les cadres de la nation sont actuellement en majeure partie composés d'anciens boursiers. Cependant la tendance se fait de plus en plus forte de substituer à une telle organisation l'institution de ce qu'on appelle le *pré-salaire*. Une campagne est engagée depuis quelques années auprès de l'opinion publique et du Parlement par les associations d'étudiants pour que l'Etat, suivant des modalités à fixer et par tel moyen qui paraîtra le plus adéquat, verse à chaque étudiant une rémunération annuelle suffisante pour lui permettre de subvenir à ses besoins pendant la durée de sa scolarité. Ainsi l'étudiant recevrait une rémunération, non pour un service rendu ou pour une fonction remplie, ce qui est le propre du salaire, mais pour se mettre à même d'occuper un jour dans la société la place où son action s'exercera avec efficacité, ce qui constituerait une traite tirée sur l'avenir de quiconque s'inscrit dans une université, sans autre garantie que la confiance, à moins que l'octroi du pré-salaire ne soit soumis à une réglementation voisine de celle qui régit l'attribution des bourses.

L'Etat ne se contente pas d'apporter aux étudiants une aide directe dont l'attribution de bourses est l'élément le plus important. Indirectement, il leur vient en aide par les subventions qu'il accorde, chaque année, à des œuvres universitaires qui ont pour but de faciliter aux étudiants l'organisation de leurs études et de leur vie sociale et matérielle (1).

---

(1) La loi du 16 avril 1955 a créé, sur le plan national, auprès du ministre de l'Education nationale, un établissement public doté de la personnalité civile et de l'autonomie financière, sous la dénomination de Centre national des Œuvres universitaires et scolaires. En même temps, elle a institué au siège de chaque université, auprès

C'est grâce au concours de l'Etat qu'ont pu se créer et se développer les restaurants universitaires, l'Office du Tourisme universitaire, les Comités de Patronage des étudiants, les Associations et Fédérations d'étudiants, les Cités universitaires, le Bureau universitaire de Statistique.

L'effort qui se poursuit, pour la création de cités universitaires, depuis trente ans, mérite d'être signalé tout spécialement.

La ville de Lyon fut une des premières à instituer des maisons pour étudiants et pour étudiantes. L'exemple fut vite suivi par d'autres villes sous l'impulsion des associations d'étudiants. La plus intéressante et la plus vaste de ces institutions est la Cité universitaire de Paris, reconnue d'utilité publique et subventionnée par le ministère de l'Education nationale. La première maison fut fondée, en 1925, grâce à la libéralité de Louise et Emile Deutsch de La Meurthe, dont elle porte le nom. Autour d'elle ne tardèrent pas à se grouper, en dix ans, sur l'initiative d'un ancien ministre de l'Education nationale, André Honorat : dix-neuf fondations françaises et étrangères comportant deux mille cinq cents chambres. A l'heure actuelle, la Cité universitaire de Paris comprend une trentaine de maisons et plus de cinq mille chambres, deux restaurants, un centre hospitalier et des installations sportives etc. Un centre des services généraux que l'on doit à la générosité de D. Rockefeller junior complète l'ensemble des bâtiments et porte le nom de « Maison internationale ».

Pendant que se développait la Cité universitaire de Paris, M. Edouard Herriot, alors ministre de l'Education nationale, entreprenait, en 1926, une action analogue en faveur des universités de province. Dès 1928, une subvention annuelle était inscrite au budget de l'Etat pour contribuer à la réalisation des projets établis par les différentes universités. Et, peu à peu, se sont construites dans les diverses villes universitaires des maisons qui offrent à de nombreux étudiants, outre le logement, de larges facilités d'ordre intellectuel, social et sportif.

du recteur, un établissement également doté de la personnalité civile et de l'autonomie financière appelé Centre régional des Œuvres universitaires et scolaires. Cette loi a voulu notamment assurer, par l'intermédiaire de leurs associations corporatives, la participation constante des étudiants eux-mêmes aux activités et à l'administration d'une institution publique créée en leur faveur et ouvrir ainsi un champ d'action vaste et efficace au mouvement social universitaire.

Quant au *Bureau universitaire de Statistique*, institué en 1933 sous forme d'association, son but est de dresser des statistiques concernant les professions, les diplômes, les établissements d'enseignement, la répartition des étudiants, etc., de renseigner les étudiants sur les débouchés que les professions peuvent offrir et d'organiser leur orientation.

Depuis 1957, il est rattaché à l'Institut pédagogique national. Son statut a été fixé par la loi du 8 avril 1954 qui lui a donné la dénomination de Bureau universitaire de Statistique et de Documentation scolaire et professionnelle.

Dans le cadre des institutions destinées à améliorer la condition des étudiants, il convient de mentionner aussi les services de la santé scolaire et universitaire, de la médecine préventive, des dispensaires et des sanatoria, d'éducation physique et sportive, de préparation militaire supérieure.

C'est après la guerre de 1914-1918 que se fit sentir, pour les universités, la nécessité de protéger la santé de leurs étudiants. L'initiative, partie des Universités de Paris, de Strasbourg et de Nancy, ne tarda pas à s'étendre aux autres universités, tandis que de son côté, l'Union nationale des Associations générales d'Etudiants fondait à Saint-Hilaire-du-Touvet, dans l'Isère, le Sanatorium des Etudiants de France. Grâce au concours financier de l'Etat et des universités, grâce aussi à la reconnaissance d'utilité publique conférée à la nouvelle institution par le décret du 23 mai 1925, le sanatorium fonctionnait huit ans après sa création. Une importante subvention lui est apportée, chaque année, par le ministère de l'Education nationale.

Enfin la loi du 23 septembre 1948 accordant aux étudiants le bénéfice de la Sécurité sociale a apporté aux universités une nouvelle preuve de l'intérêt qu'attache l'Etat à ce que chaque étudiant soit mis dans les conditions matérielles les plus favorables au développement de ses aptitudes.

Chapitre VI

ORGANISATION ADMINISTRATIVE
ET HIÉRARCHIE UNIVERSITAIRE

En France, pays fortement centralisé, c'est aux pouvoirs législatifs et excécutifs nationaux, c'est-à-dire au Parlement et au ministre de l'Education nationale (1) qu'il appartient essentiellement d'organiser et d'administrer les institutions universitaires. C'est le Parlement qui prend les mesures d'ordre législatif valables pour toute la France, et le ministre prescrit, par lui-même ou par ses représentants, les mesures d'exécution.

Le Parlement fixe les conditions légales d'ouverture et de fonctionnement des établissements d'enseignement. Il arrête, dans leurs grandes lignes, les programmes et la procédure générale des examens qui les sanctionnent. Il établit le statut du personnel enseignant et du personnel administratif : conditions de nomination, de rémunération, d'avancement, de discipline. Enfin, il vote, chaque année, dans le budget, les crédits nécessaires pour les traitements des fonctionnaires, pour le fonctionnement des services d'enseignement, pour les subventions à

---

(1) Jusqu'en 1828, l'Education nationale fut dirigée par un Conseil, parfois assisté d'un Grand-maître de l'Université, mais toujours sous la tutelle du ministre de l'Intérieur. L'ordonnance du 10 février 1828 institua un ministère de l'Instruction publique dont le titulaire, H. de Vatimesnil, installa les services dans l'immeuble où ils sont encore. Cet immeuble, qui avait été construit en 1777 par l'architecte Mathurin Cherpitel, pour servir d'hôtel à la famille Rochechouart, appartenait au maréchal Augereau.

accorder aux universités et, le cas échéant, aux départements et aux communes, en particulier pour les constructions scolaires et pour leur entretien lorsque la charge leur en incombe, pour les bourses d'études, les prêts d'honneur, les œuvres universitaires, etc.

Comme ses collègues des autres départements ministériels, le ministre de l'Education nationale participe, sous la présidence du Premier Ministre ou du Président de la République, à l'action du gouvernement. En même temps, il administre les divers ordres d'enseignement et les services placés sous son autorité, soit directement, soit par l'intermédiaire de secrétaires d'Etat. En cette qualité, il a des attributions générales, communes à tous les ministres : contreseing des actes du pouvoir exécutif, exécution des lois et règlements, préparation du budget, ordonnancement des dépenses, etc. Mais il a, en outre, des attributions propres à son département. Il nomme personnellement, ou par délégation de ses pouvoirs, un grand nombre de fonctionnaires, soit de l'ordre administratif, soit de l'ordre enseignant et les fonctionnaires qui, comme les directeurs généraux et les directeurs de l'Administration centrale, les inspecteurs généraux de l'Instruction publique, les recteurs d'Académie, les professeurs titulaires des Facultés, les inspecteurs d'Académie, doivent faire l'objet d'un décret pris en Conseil des ministres ou d'un décret pris par le Premier Ministre, ne peuvent être nommés que sur sa proposition. D'autre part, avec ou sans avis des Conseils d'enseignement intéressés ou du Conseil supérieur de l'Education nationale, selon le cas, son action s'exerce sur les créations et transformations de chaires ou d'emplois, sur les programmes, sur les méthodes, sur les règlements administratifs et disciplinaires, sur les règlements concernant les examens et la collation des grades ; sur l'attribution des subventions et des bourses, sur l'avancement du personnel, sur les nominations et les promotions dans l'ordre des Palmes académiques et dans l'ordre de la Légion d'honneur, etc.

Pour l'administration de ses services, le ministre est assisté, à Paris, de fonctionnaires répartis en directions, dont chacune est sous l'autorité d'un directeur général ou d'un directeur. Outre une direction de l'administration générale, et trois directions spécialisées, il y a autant de directions que d'ordres d'enseignement, celle de l'enseignement supérieur étant une direction générale. D'autre part, il a été institué, en 1960, une direction générale de l'Organisation et des Programmes scolaires dont l'action s'exerce sur les directions des enseignements élémentaires et complémentaires (1er degré), classiques, modernes et techniques (2e degré) et, en 1959, une direction de la Coopération avec la Communauté et l'étranger. Les fonctionnaires de l'Administration centrale constituent, dans leur ensemble, un corps purement administratif formé à l'Ecole nationale d'Administration et ne comprenant que très exceptionnellement des personnes ayant appartenu à l'enseignement. Seuls, les directeurs généraux et directeurs peuvent être pris en dehors de cette hiérarchie. En fait, le choix se porte traditionnellement sur des inspecteurs généraux de l'Instruction publique ou sur des recteurs d'Académie. Ils sont nommés par décret pris en Conseil des ministres sur la proposition du ministre de l'Education nationale.

Auprès du ministre et des directeurs généraux et directeurs d'enseignement siègent divers Conseils. Chaque direction a son Conseil consultatif d'enseignement composé de membres de droit, de membres nommés par arrêté du ministre de l'Education nationale, de membres titulaires et de membres suppléants élus par le personnel et dont le nombre est supérieur à celui des membres de droit et des membres nommés. Chaque Conseil donne son avis sur les programmes, sur les règlements administratifs ou disciplinaires relatifs aux établissements d'enseignement publics relevant de la direction, sur les règlements relatifs aux examens, à la scolarité, à la collation des grades et à la délivrance des diplômes, sur les constructions scolaires et sur toutes les questions qui lui sont renvoyées par le ministre. C'est ainsi que le Conseil de l'enseignement supérieur est notamment chargé d'étudier et éventuellement de proposer les mesures permettant de réaliser l'adaptation permanente de l'enseignement supérieur aux exigences du progrès scientifique et aux besoins de la nation. Il est assisté, à cet effet, de commissions spécialisées dont il peut provoquer la constitution et recueillir les avis. En outre, il existe à la direction de l'enseignement supérieur, un Comité consultatif des Universités qui délibère sur toutes les questions concernant le personnel et qui peut être invité par le ministre à donner son avis sur toute question pédagogique intéressant les universités. Ce Comité établit notamment les propositions d'avancement et les listes d'aptitude aux fonctions de maître de conférences. Il délibère sur toutes les nominations de professeur titulaire et classe les candidats à ces fonctions. Il participe à la désignation des membres des jurys des concours d'agrégation des facultés. Sa constitution comporte cinq divisions correspondant aux cinq ordres des facultés. Chaque division est présidée par le directeur de l'enseignement supérieur et comprend un certain nombre de sections correspondant aux différentes disciplines ; ainsi dans l'ordre des lettres : une section de philosophie, une section de philologie et littérature anciennes, une section de philologie et littérature françaises, une section de sciences historiques et géographiques, une section de langues vivantes et linguistiques. Chacune de ces sections est constituée, pour les trois quarts, de professeurs de la spécialité élus par leurs collègues de même spécialité et, pour un quart, de professeurs nommés par le ministre parmi d'autres représentants de la spécialité.

Sous la présidence du ministre et au-dessus de ces organismes consultatifs, siège le Conseil supérieur de l'Education nationale. Son institution remonte au décret du 17 mars 1808, sous la dénomination de

Conseil de l'Université. Après avoir fonctionné successivement, à partir du 17 janvier 1811, comme Conseil royal de l'Instruction publique, Conseil royal de l'Université, Conseil impérial de l'Instruction publique, puis, en 1873, comme Conseil supérieur de l'Instruction publique, et avoir été pratiquement supprimé le 12 juillet 1940 par l'autorité de fait se disant gouvernement de l'Etat français, il a été réorganisé par la loi du 18 mai 1946 et a pris le nom de Conseil supérieur de l'Education nationale.

Ce Conseil comprend : onze membres de droit qui sont les directeurs de l'Administration centrale et le recteur de l'Académie de Paris ; dix membres nommés par décret en Conseil des ministres, sur la proposition du ministre de l'Education nationale, et parmi lesquels doit figurer au moins un représentant de chacune des catégories suivantes : les membres de l'Institut de France ; les recteurs d'Académie ; les inspecteurs généraux de l'Instruction publique ; les inspecteurs généraux de l'enseignement technique ; les inspecteurs généraux de l'éducation physique et des Sports ; les inspecteurs d'Académie ; trois membres nommés par décret en Conseil des ministres, sur la proposition du ministre de l'Education nationale, représentant l'enseignement privé (Enseignement supérieur, Enseignement du second degré, Enseignement technique) ; cinquante membres élus à raison de dix par chacun des cinq Conseils d'enseignement parmi ceux de ses membres qui procèdent de l'élection ; deux membres de l'enseignement primaire élémentaire privé, élus par les membres des Conseils départementaux appartenant à cet enseignement. En outre, tout ministre peut, d'accord avec le ministre de l'Education nationale, désigner un représentant qui assiste avec voix consultative aux délibérations de nature à intéresser son département. Les pouvoirs des membres ont une durée de quatre ans. Ils peuvent être renouvelés (1).

Le Conseil supérieur de l'Education nationale est obligatoirement consulté et donne un avis sur toute

(1) Jusqu'au 27 février 1880 le Conseil supérieur comprenait un certain nombre de personnalités étrangères à l'enseignement. De bons esprits préconisent un retour à ce système et demandent que le Conseil soit ouvert à une représentation des grandes activités de la Nation.

question d'intérêt national concernant l'enseignement ou l'éducation, quel que soit le département
ministériel qu'elles intéressent. Il donne dans tous
les cas son avis :

1° Sur les questions intéressant à la fois l'enseignement
public et l'enseignement privé ou l'enseignement privé seulement ; 2° Sur les projets de loi, de décret ou d'arrêté réglemen-
taires relatifs à l'enseignement ou à l'éducation qui intéressent
conjointement plusieurs ordres d'enseignement ; 3° Sur les
questions dont il est saisi par le ministre et sur les questions
qui lui sont envoyées par l'un des Conseils d'enseignement. Il
peut, sous certaines conditions, émettre des vœux concernant
les questions qui sont de sa compétence. D'autre part, il statue
en appel et en dernier ressort : sur les jugements rendus en
matière contentieuse et en matière disciplinaire par les Conseils
académiques ou les Conseils d'université ; sur les décisions
prises par les Conseils de discipline régissant le personnel des
établissements publics d'enseignement ; sur les jugements
prononçant l'interdiction absolue d'enseigner contre un maître
public ou privé. Lorsqu'il juge en matière contentieuse et en
matière disciplinaire, le Conseil supérieur est composé de vingt-
quatre conseillers que le Conseil lui-même élit dans son sein et
pour la durée de ses pouvoirs parmi les représentants de
l'enseignement public, à raison de seize pour ceux qui procèdent
de l'élection et de huit pour ceux qui sont de droit ou nommés.
Les représentants de l'enseignement privé sont appelés à siéger
avec voix délibérative dans les affaires qui concernent cet
enseignement.
Les séances du Conseil supérieur ne sont pas publiques. Un
compte rendu analytique est publié par le ministre, au *Bulletin
officiel*. Dans l'intervalle des sessions, une section permanente,
composée de seize membres (dix élus et six nommés par le
ministre) est chargée de donner avis sur les questions qui sont
de la compétence du Conseil.

La réforme de la fonction publique, réalisée par la
loi du 19 octobre 1946 portant statut général des
fonctionnaires, pose le délicat problème de la sur-
vivance de ces organismes qui ont subi la longue
épreuve du temps et sont considérés comme la
charte des institutions universitaires françaises.
Cette loi prescrit, en effet, d'une part, la création,

auprès de chaque ministre, d'un Comité technique paritaire ministériel et, auprès de chaque direction ou service, d'un Comité technique paritaire central ; d'autre part, pour chaque corps de fonctionnaires, une Commission administrative paritaire. Les Comités techniques paritaires doivent, selon le cas, être composés de trente ou de vingt membres titulaires et de trente ou de vingt membres suppléants à raison de 50 % nommés par le ministre et 50 % désignés par les organisations syndicales les plus représentatives. Moins nombreux, les membres des Commissions administratives paritaires doivent être, pour moitié, nommés par le ministre et, pour moitié, élus par les fonctionnaires.

Les attributions dévolues par la loi aux Comités techniques et aux Commissions paritaires empiètent sur celles du Conseil supérieur de l'Education nationale, des Conseils d'enseignement et du Comité consultatif des Universités. En effet, les Comités techniques paritaires connaissent toutes questions relatives à l'organisation des administrations, établissements et services, à leur fonctionnement et notamment à la modernisation des méthodes, à l'élaboration ou à la modification des règles statuaires régissant les personnels, etc., et les Commissions administratives paritaires, qui peuvent être saisies de toutes questions d'ordre individuel concernant le personnel, connaissent, en matière de recrutement, des propositions de titularisation ou d'avancement et, en matière disciplinaire, de toute action engagée contre tout fonctionnaire appartenant au corps sur lequel s'exerce sa compétence.

Il est évident que la loi du 19 octobre 1946 a voulu, en instituant les Comités techniques paritaires et les Commissions administratives paritaires, donner de nouvelles garanties aux fonctionnaires et les associer plus étroitement au fonctionnement des services. Or, en ce qui concerne le personnel enseignant, ce double objectif était atteint depuis longtemps. Dans les Conseils, dans les Comités consultatifs qui existent à tous les degrés de la hiérarchie universitaire, le personnel est plus largement représenté que ne l'exige la loi du 19 octobre 1946, puisqu'il y détient la majorité. Seule la représentation syndicale, qui concourt à la constitution des Comités techniques paritaires, n'y a, directement, aucune part. Le problème consisterait donc à chercher une solution qui permette aux organisations syndicales du personnel enseignant d'avoir une représentation directe dans les Conseils et les Comités consultatifs existants, sans en altérer la structure, ni diminuer les prérogatives. L'article 2 de la loi du 19 octobre 1946 et l'article 1er du décret du 24 juillet 1947, portant règlement d'administration publique, en envisagent la possibilité. Ces textes prévoient, en effet, que le statut particulier du corps enseignant, en raison de son caractère technique « peut déroger à certaines dispositions du statut général » des fonctionnaires.

Pour faire appliquer les règlements scolaires et universitaires, diriger et contrôler la marche des services d'enseignement, le ministre, outre les directeurs et les bureaux, est secondé, sur le plan national, par le corps des inspecteurs généraux de l'Instruction publique et par celui des inspecteurs généraux des services administratifs, médicaux, sportifs, etc., sur le plan régional, par les recteurs d'académie et, sur le plan départemental, par les inspecteurs d'académie.

Les inspecteurs généraux de l'Instruction publique ont pour mission essentielle de diriger et de contrôler, au nom du ministre, dont ils sont les délégués, les conditions dans lesquelles fonctionnent les services d'enseignement et d'éducation. Ils inspectent tous les fonctionnaires, y compris les chefs d'établissement, les notent, leur donnent toutes directives utiles et proposent au ministre les instructions dont le besoin leur est apparu au cours de leurs inspections. Ils peuvent être chargés d'enquêtes particulières en vue de l'expérimentation de nouvelles méthodes ou de l'étude de projets et de requêtes, ainsi que de l'examen sur place de situations délicates ou difficiles. Depuis 1880, le personnel de l'enseignement supérieur n'est plus soumis à l'inspection générale. Les autres ordres d'enseignement y demeurent astreints. A titre d'exemple, les établissements de l'enseignement du second degré sont actuellement inspectés par environ soixante-dix inspecteurs généraux de l'Instruction publique dont deux pour la philosophie, quinze pour les lettres, huit pour l'histoire et la géographie, six pour les mathématiques, etc. En outre, les inspecteurs généraux prennent part aux travaux des commissions chargées de régler l'avancement et les mutations du personnel. Certains font partie des Conseils d'enseignement et du Conseil supérieur de l'Education nationale, d'autres des jurys des concours d'agrégation des lycées et des divers certificats d'aptitude à l'enseignement. En règle générale, les inspecteurs généraux de l'Instruction publique sont recrutés parfois parmi les recteurs d'Académie et les professeurs des Facultés des Sciences et des Lettres et Sciences humaines, mais plus couramment, parmi les professeurs des lycées enseignant dans les classes préparatoires aux grandes écoles et parmi les inspecteurs de l'Académie de Paris ou des départements. Ils sont nommés par décret sur la proposition du ministre de l'Education nationale.

Les inspecteurs généraux de l'enseignement technique sont assimilés aux inspecteurs généraux de l'Instruction publique. En outre, il existe pour chaque ordre d'enseignement, y compris l'enseignement supérieur, des inspecteurs généraux des services administratifs, des inspecteurs généraux des sports, de l'hygiène scolaire et des bibliothèques.

Nous avons déjà parlé des recteurs d'académie et des attributions conférées à chaque recteur en qualité de président du Conseil de l'Université. Représentant direct du ministre, le recteur a le droit d'inspecter tous les fonctionnaires des différents ordres d'enseignement, y compris ceux de l'enseignement supérieur. Il est tenu de fournir, chaque année, des notes individuelles sur chacun d'eux. Il propose des candidats pour tous les emplois qui sont à la nomination du ministre et il nomme directement à certains emplois, notamment aux emplois d'instituteur public. Il contrôle la vie matérielle et morale de tous les établissements d'enseignement ; il donne des instructions à leurs chefs et reçoit d'eux, périodiquement, des rapports détaillés ; il surveille la gestion financière et s'attache au maintien de la discipline ; les questions concernant l'hygiène et les locaux sont soumises à son examen et il négocie, à ce sujet, soit avec l'administration centrale, soit avec les préfets, les conseils généraux et les conseils municipaux. Enfin, le recteur exerce une action efficace sur l'enseignement proprement dit. Il a qualité pour inspecter les établissements privés aux fins de vérifier s'ils n'enseignent rien qui soit contraire à la morale, à la Constitution et aux lois et si les règles de l'hygiène y sont observées. Dans les établissements publics, il assure l'application des programmes et des méthodes institués par le ministre, après avis du Conseil supérieur de l'Education nationale. Les tableaux d'emploi du temps, y compris ceux des facultés, sont soumis à son approbation, ainsi que la liste des manuels, des livres de prix et des ouvrages de bibliothèque utilisés par les élèves. Il organise les stages pédagogiques et d'une manière générale, il veille à la bonne organisation et à la régularité de la plupart des examens et concours passés dans son académie. Pour certains, il choisit les sujets des épreuves écrites et constitue les commissions d'examens. Il désigne les professeurs de l'enseignement de second degré appelés à siéger dans les jurys de baccalauréat sous la présidence de professeurs de faculté désignés par les doyens. Il délivre les certificats et les diplômes par délégation du ministre.

Ainsi, le recteur, à titre de représentant du pouvoir central, contrôle d'une façon permanente toutes les formes de la vie universitaire et toutes les institutions qu'elle engendre. Il assure, dans son ressort, l'exécution des lois et des décisions ministérielles relatives à l'enseignement et à l'éducation. Il est tenu de donner son avis motivé sur toutes les questions de personnel, d'administration ou de pédagogie et de renseigner avec précision le ministre et ses délégués, les inspecteurs généraux. Il a, par suite, un droit presque illimité d'enquête et d'appréciation. D'autre part, il possède seul l'autorité nécessaire pour établir une étroite liaison entre les divers ordres d'enseignement dont il connaît les ressources et les besoins respectifs, pour assurer leur pénétration réciproque et résister, le cas échéant, à des tendances particularistes, qui ne sauraient s'affirmer sans dommage pour l'éducation nationale. Enfin, il peut étendre son influence personnelle au delà même des limites des institutions universitaires officielles en encourageant les initiatives privées de toute espèce (œuvres para- ou post-scolaires, œuvres en faveur des étudiants, donations, fondations, bourses, etc.), qui tendent à grossir le nombre des amis et des bienfaiteurs de l'enseignement public.

Le recteur est assisté dans sa tâche par des inspecteurs d'Académie, nommés par décret sur la proposition du ministre de l'Education nationale. En règle générale, il y a un inspecteur d'Académie par département (1). Quelques départements en possèdent deux et la Seine plusieurs. Tout candidat aux fonctions d'inspecteur d'Académie doit :

1º Posséder soit un doctorat ès lettres ou ès sciences, soit une agrégation des lycées, soit, avec le certificat d'aptitude à l'inspection primaire et à la direction des Ecoles normales d'instituteurs, le certificat d'aptitude au professorat des Ecoles normales ou une des licences d'enseignement ; 2º Avoir rempli les fonctions suivantes : professeur ou maître de conférences dans une Faculté des Lettres ou des Sciences, proviseur, censeur ou professeur dans un lycée, directeur d'Ecole normale ou inspecteur primaire.

Dans son département, sous l'autorité du recteur, l'inspecteur d'Académie contrôle tous les ordres d'enseignement, sauf l'enseignement supérieur, et dirige l'enseignement du premier degré. Il inspecte et il note les membres du personnel administratif et du personnel enseignant des établissements de l'enseignement du second degré, de l'enseignement

(1) La division de la France en régions universitaires entraînerait la transformation des inspecteurs d'Académie en inspecteurs régionaux de l'Instruction publique regroupés au rectorat pour exercer le contrôle administratif et pédagogique des établissements de la région autres que ceux de l'enseignement supérieur.

technique et de l'enseignement du premier degré.

C'est sur sa proposition que le recteur nomme les instituteurs et les institutrices titulaires. Comme directeur des services d'enseignement de son département, l'inspecteur d'Académie a, pour collaborateurs immédiats, les inspecteurs et inspectrices primaires, les inspectrices des écoles maternelles, les inspecteurs de l'enseignement technique, les inspecteurs de la Jeunesse et des Sports et le médecin-inspecteur de l'Hygiènc scolaire. Dans le département de la Seine où une organisation spéciale s'est imposée du fait de l'existence de nombreux établissements des divers ordres d'enseignement créés par la Ville de Paris et d'un corps de professeurs spéciaux fonctionnaires du département, c'est un inspecteur général de l'Instruction publique que le ministre de l'Éducation nationale, en lui adjoignant deux inspecteurs d'Académie, met à la disposition du préfet qui lui donne, par arrêté, le titre de directeur général des Services d'Enseignement de la Seine.

Au siège de chaque académie, auprès du recteur, existe, outre le Conseil de l'Université dont nous avons étudié les attributions, un Conseil académique composé de membres de droit (recteur, inspecteurs d'Académie, doyens de Facultés), de membres nommés par le ministre (administrateurs d'établissements publics du second degré, membres des Conseils généraux et municipaux) et de membres élus par le personnel de l'enseignement du second degré dont deux représentants de l'enseignement privé. Depuis l'institution des Conseils d'Université et des Conseils départementaux, la compétence de ce Conseil porte uniquement sur l'enseignement du second degré public et privé. Il donne son avis sur le développement des établissements publics du second degré qui font partie de l'Académie, sur les améliorations désirables et, chaque année, un rapport sur la marche de cet enseignement doit lui être soumis. Il est chargé surtout de juger en premier ressort les affaires contentieuses et disciplinaires de l'enseignement public ou privé du second degré. Le recteur en est le président.

Dans chaque département est institué un Conseil départemental de l'enseignement du premier degré, composé de membres de droit (préfet, inspecteur d'Académie, directeur et directrice des Ecoles normales), de deux inspecteurs primaires nommés par le ministre, de délégués du Conseil général et du personnel enseignant du premier degré et pour les affaires concernant l'enseignement privé, de représentants de cet enseignement. Entre autres attributions, ce Conseil arrête, dans le cadre des règlements et du plan d'études délibéré par le Conseil supérieur de l'Education nationale, l'organisation pédagogique des diverses catégories d'écoles publiques et leur régime intérieur ; il veille à l'application des programmes, méthodes et règlements, ainsi qu'à l'inspection médicale ; il décide le nombre, la nature et le siège des écoles publiques, ainsi que le nombre des maîtres qui y sont attachés ; il a enfin certaines attributions disciplinaires et contentieuses.

Conseil académique sur le plan régional, et Conseil départemental sur le plan local, font double emploi, pour beaucoup d'attributions, avec les Comités techniques paritaires et les Commissions administratives paritaires créés par la loi du 19 octobre 1946. Pour ces institutions, se pose donc le même problème que pour celles qui fonctionnent à l'échelon ministériel : s'adapter à la loi tout en conservant l'autorité qu'elles détiennent d'un long passé et de la confiance que le personnel n'a jamais cessé de leur témoigner.

Enfin, parmi les institutions administratives fonctionnant auprès du ministre de l'Education nationale, il convient de signaler l'*Institut pédagogique national* à qui la loi du 10 avril 1954 a conféré le caractère d'un établissement public « d'éducation, de documentation et de recherche » doté de la personnalité civile et de l'autonomie financière. Le décret du 19 janvier 1955 a défini le régime administratif et financier de cet établissement en lui donnant le nom de Centre national de Documentation pédagogique auquel un décret du 23 octobre 1956 a substitué la double dénomination d'Institut national de Documentation pédagogique et de perfectionnement et distribution des moyens d'enseignement ou Institut pédagogique national sous laquelle il est le plus couramment désigné. Cet Institut souvent appelé « Musée pédagogique » du nom qui désigne le plus ancien de ses services a le triple rôle d'information des maîtres, de perfectionnement des méthodes et de distribution des moyens didactiques. Des établissements annexés dont la création a été décidée par le décret du 19 janvier 1955 fonctionnent à l'échelon académique et à l'échelon départemental. L'Institut pédagogique national rassemble sous une même autorité différents organismes qui ont été institués historiquement, dans l'ordre suivant :

Le *Musée de l'Enseignement public* (Musée pédagogique proprement dit) institué en 1871 par Jules Simon, puis à nouveau en 1878 par Jules Ferry, sur la proposition de Ferdinand Buisson, son véritable créateur et animateur ; la *Bibliothèque centrale* et la *Bibliothèque circulante de l'Enseignement public*, créées respectivement en 1879 et 1882 ; le *Service des Vues* (créé en 1895), complété ultérieurement par une *Cinémathèque centrale* et une *Phonothèque centrale de l'enseignement public* qui alimentent les cinémathèques régionales et dépôts régionaux de vues ; les *Services centraux de Documentation et d'Information du ministère de l'Education nationale*, eux-mêmes résultant de la fusion des organismes suivants :

L'*Office d'Informations*, créé en 1901 (décret du 15 juillet) et rattaché au Musée pédagogique en 1903 (décret du 31 mars) ; le *Centre de Documentation*, créé en 1936 (décret du 5 décembre) comme suite aux recommandations de la Commission internationale de Coopération intellectuelle siégant auprès de la Société des Nations ; le *Bulletin officiel du ministère de l'Education nationale* ; le *Bureau de Renseignements administratifs* créé et le *Service des Publications* rétabli en 1944. Le *Bulletin officiel* avait cessé de paraître de 1932 à 1944. Le Service des Publications, après une longue éclipse, a repris la tradition instituée par Ferdinand Buisson en 1885 par la publication des *Mémoires et documents scolaires.*

D'autre part, dans les mêmes locaux et travaillant en étroite coopération avec les services officiels, divers organismes et associations ont établi leur siège avec l'agrément du ministère de l'Education nationale. Tel est le Comité universitaire d'Information pédagogique chargé de la publication de la revue *L'éducation nationale* fondée en 1945 et qui, renouant la tradition de la *Revue pédagogique* fondée en 1878 par Ferdinand Buisson, est l'organe officieux du Centre national de Documentation pédagogique. Tels sont aussi le *Bureau universitaire de Statistique et de Documentation scolaire et professionnelle*, la *Société française de Pédagogie*, le *Bureau français de la Correspondance scolaire internationale*, etc.

Enfin, en vertu d'un arrêté du 27 février 1950 et des 27 mars et 21 mai 1957, le *Centre international d'Etudes pédagogiques de Sèvres*, le *Bureau universitaire de Statistique (B.U.S.)* et le *Centre national d'Enseignement par Correspondance*, dont les activités complètent celles de l'Institut pédagogique national, les uns dans le domaine de la recherche pédagogique, les autres par leurs publications et par la mise en circulation d'ouvrages pour la préparation aux examens et concours pédagogiques, sont désormais rattachés à l'Institut pédagogique national, tout en conservant leur autonomie propre.

L'Institut pédagogique national a pour fonction :

a) D'étudier et de soumettre au ministre les décisions administratives qu'impliquent l'organisation et le fonctionnement des organismes centraux, régionaux et locaux de documentation et de recherche pédagogique (organismes publics et organismes privés subventionnés par l'Etat), d'assurer la liaison de ces organismes et du ministère avec les organismes analogues à l'étranger ou internationaux (B.I.E., U.N.E.S.C.O.) ;

b) De rassembler et d'élaborer toute documentation susceptible d'être utile à l'administration et aux membres de l'enseignement (organisation universitaire, méthodes et recherches pédagogiques françaises et étrangères, instruments du travail intellectuel et du travail didactique : livres, revues, films, disques, etc. ; mobilier scolaire et matériel d'enseignement), et d'assurer le secrétariat des commissions d'étude de ces questions ;

c) De mettre en valeur cette documentation par l'organisation d'expositions, de conférences, de stages et congrès pédagogiques ainsi que par la publication de brochures et de périodiques.

Les bureaux de documentation sont aidés dans leur tâche par les services techniques du musée, de la bibliothèque, de la cinémathèque, etc., et par diverses commissions spécialisées, comme la *Commission des Livres*, la *Commission du Cinéma d'Enseignement* et la *Commission de la Machine parlante*.

C'est dans le cadre de l'organisation administrative dont nous venons d'exposer les grandes lignes que s'est établie la hiérarchie des fonctions universitaires. Le rang de préséance des corps, autorités et fonctionnaires relevant du ministère de l'Education nationale, est actuellement fixé, ainsi qu'il suit, par l'arrêté du 12 décembre 1907 :

I. *A Paris.* — L'Institut de France ; le Conseil supérieur de l'Education nationale ; le recteur de l'Académie de Paris et le Conseil de l'Université ; l'Académie de Médecine ; le directeur du cabinet du ministre, les directeurs et les fonctionnaires de l'Administration centrale ; les inspecteurs généraux ; le corps académique ; les Facultés de Droit, de Médecine, des Sciences, des Lettres, de Pharmacie, l'Ecole normale supérieure, le conservateur et les fonctionnaires de la Bibliothèque de l'Université ; le Collège de France ; le Muséum d'Histoire naturelle ; le Bureau des Longitudes ; l'Observatoire de Paris ;

l'Ecole des Chartes ; l'Ecole nationale des Langues orientales
vivantes ; l'Ecole pratique des Hautes Etudes ; le Bureau central météorologique ; l'Observatoire de Meudon ; les inspecteurs généraux des bibliothèques et des archives ; l'administrateur général et les fonctionnaires de la Bibliothèque nationale ; les administrateurs et les fonctionnaires des bibliothèques
Sainte-Geneviève, Mazarine, Arsenal ; le directeur et les fonctionnaires du Musée pédagogique ; l'Ecole normale supérieure
d'Enseignement secondaire de jeunes filles ; les lycées et les
collèges de garçons ; les lycées et les collèges de jeunes filles ;
le Conseil départemental ; les Ecoles normales supérieures
d'enseignement primaire ; les inspecteurs et inspectrices de
la Seine ; les Ecoles normales d'instituteurs et d'institutrices ;
les Ecoles primaires publiques.

II. *Dans les départements.* — Le recteur et le Conseil de
l'Université ; le corps académique ; les Facultés ; les Ecoles de
Médecine et de Pharmacie ; les Ecoles préparatoires à l'Enseignement supérieur des Sciences et des Lettres ; les lycées de
garçons et de jeunes filles ; les collèges de garçons et de jeunes
filles ; le Conseil départemental ; les inspecteurs primaires ; les
Ecoles normales d'instituteurs et d'institutrices ; les Ecoles
primaires publiques.

En tant que corps constitué et hiérarchisé, le personnel universitaire est doté de distinctions honorifiques qui lui sont propres et d'un costume qui varie
suivant les ordres d'enseignement, les fonctions et
les grades.

Les distinctions honorifiques sont les décorations
des Palmes académiques dont l'Ordre créé par le
décret du 4 octobre 1955 comprend le grade de
chevalier et le grade d'officier des Palmes académiques en remplacement des distinctions honorifiques d'officier d'Académie et d'officier de l'Instruction publique instituées par le décret impérial
du 17 mars 1808 et le nouveau grade de commandeur
des Palmes académiques. Aux termes du décret
du 17 mars 1808, les insignes devaient être brodés
sur le costume officiel en palmes d'or pour les
officiers de l'Instruction publique et en palmes
d'argent pour les officiers d'Académie. Mais « pour la

classe la plus nombreuse des fonctionnaires de l'enseignement, pour les instituteurs, ces palmes n'étaient qu'un titre puisqu'ils n'avaient pas de costume officiel sur lequel elles pouvaient être brodées ». C'est pour cette raison que Victor Duruy fit signer, le 7 avril 1866, un décret donnant aux Palmes académiques la forme de décoration qu'elles ont encore de nos jours. Nous lisons dans l'exposé des motifs :

Depuis que les questions d'enseignement sont devenues l'objet de la sollicitude générale, le ministre a dû témoigner, par la concession des palmes universitaires, sa gratitude envers des personnes qui, bien qu'étrangères au corps enseignant, l'avaient aidé à mieux remplir sa tâche. Nos palmes furent alors portées à côté des ordres les plus illustres, sur de brillants uniformes. Des généraux, des sénateurs, des députés, des conseillers d'Etat se parent de cette décoration pacifique, et la réserve avec laquelle on l'accorde semble en relever la valeur. Mais l'usage en a modifié la forme extérieure. On a, peu à peu, réduit les premières dimensions, qui n'étaient compatibles qu'avec la robe universitaire. Au lieu d'être brodée sur le ruban même, elle y est suspendue.

Je prie Votre Majesté de vouloir bien, en signant le décret ci-joint, régulariser cette coutume qui permettra à un instituteur de village de gagner par de bons services et de porter l'insigne que le ministre de l'Instruction publique s'honore de porter dans les cérémonies officielles, comme les maréchaux de France portent la Médaille militaire conférée aux simples soldats.

Les nominations de chevalier et d'officier des Palmes académiques, après avis du Conseil de l'Ordre, sont faites par arrêté du ministre de l'Education nationale, et celles de commandeur par décret du Premier ministre. Elles donnent lieu à deux promotions annuelles, l'une le 14 juillet réservée aux membres du personnel enseignant, scientifique, administratif et de surveillance dépendant du ministère de l'Education nationale ; l'autre, le 1er janvier, réservée aux personnes qui n'appartiennent pas à ces catégories. En outre, chaque année, le ministre de l'Education nationale dispose d'un contingent de décorations de l'ordre national de la Légion d'honneur. Ajoutons que l'honorariat peut être accordé aux professeurs titulaires de Faculté par décret, aux maîtres de conférences et agrégés et aux chefs de travaux, par arrêté, après avis de l'Assemblée de Faculté.

Aux termes du décret du 31 juillet 1809, les membres du corps universitaire sont tenus de porter dans l'exercice de leurs fonctions et dans les cérémonies publiques, le costume dont la description suit :

— *les inspecteurs généraux de l'Instruction publique* : simarre de soie noire sans hermine, ceinture violette à glands d'argent, chausse violette herminée de 12 centimètres, cravate de dentelle, toque noire avec deux galons d'argent ;

— *recteurs et inspecteurs d'Académie* : même costume, glands de soie à la ceinture, chausse violette herminée de 8 centimètres, cravate de batiste, un seul galon à la toque ;

— *doyens et professeurs de Faculté* : simarre de soie ponceau (Droit), cramoisie (Médecine), amarante (Sciences), orange (Lettres), saumon (Pharmacie), ceinture en soie, épitoge de trois rangs d'hermine, rabat en batiste, toque en soie couleur de la robe avec galon or ;

— *proviseurs* : robe en laine noire, revers orange ou amarante, ceinture en soie couleur des revers, épitoge couleur des revers avec deux ou trois rangs d'hermine suivant le grade, rabat en batiste, toque en soie couleur des revers avec galon or ;

— *censeurs de lycée et principaux de collèges* : même costume, toque en drap noir avec galon d'argent ;

— *professeurs* : robe en laine noire, pas de ceinture, épitoge orange ou amarante avec un, deux ou trois rangs d'hermine selon le grade (bachelier, licencié, docteur), rabat en batiste, toque en drap noir.

L'usage de porter la robe dans l'exercice de leurs fonctions ne s'est maintenu jusqu'à nos jours que chez les professeurs des Facultés de Droit et, partiellement, chez les professeurs des Facultés de Médecine, notamment lors des soutenances de thèses. Par contre, dans les cérémonies officielles, les membres du corps universitaire continuent à revêtir la robe.

CONCLUSION

CARACTÈRE
DES INSTITUTIONS UNIVERSITAIRES
FRANÇAISES

On a pu voir, par le bref exposé que nous venons de faire, comment s'est organisé, en France, sur des institutions qui en sont l'armature, un système public d'éducation propre à répandre largement l'instruction dans le peuple et à former une élite nationale. Indépendamment de sa valeur intrinsèque, ce qui, dans ce système, mérite de retenir l'attention, c'est qu'il ait pu se développer tout en laissant subsister la liberté de l'enseignement. Napoléon Ier qui estimait que la vraie fonction de l'enseignement est de façonner les citoyens tels que le souverain, dépositaire et gardien de la puissance publique, juge qu'ils doivent être, en avait bien décrété le monopole. « Aucune école, aucun établissement quelconque, lit-on dans le statut du 17 mars 1808, ne peut être formé en dehors de l'Université et sans l'autorisation de son chef. » Ce monopole, contrairement à ce qui se produisit pour l'enseignement secondaire et pour l'enseignement primaire où il buta aussitôt contre des difficultés d'application, s'établit d'autant plus facilement dans l'enseignement supérieur que son domaine était plus restreint et qu'il était lié au monopole de la collation des grades.

Mais, en 1850, au moment où, sous l'action de Fortoul, de Falloux, de Montalembert et de Thiers, toutes facilités furent accordées à l'enseignement secondaire privé pour se développer en face de l'enseignement secondaire public, le monopole de l'enseignement supérieur fut, à son tour, mis en discussion. Les partisans des établissements d'enseignement supérieur privés voulaient leur assurer, non seulement le droit d'enseigner, mais encore le droit de conférer les grades donnant accès aux fonctions publiques. D'où des résistances qui retardèrent jusqu'en 1875 et 1880 le vote des lois qui instituèrent la liberté de l'enseignement supérieur — liberté partielle et limitée, puisque, s'il est permis à des particuliers ou à des associations légalement formées d'ouvrir soit des cours isolés, soit des établissements de haut enseignement qui ne peuvent d'ailleurs pas adopter le nom d'*universités* (1), il leur est interdit de décerner les diplômes et grades d'Etat.

La conséquence la plus remarquable d'une telle interdiction est que, si la liberté de l'enseignement ainsi accordée par la loi permet toutes les initiatives en matière d'éducation et, à condition de ne rien enseigner qui soit contraire à la Constitution, à la morale et aux lois, laisse l'enseignement privé entièrement maître de ses programmes, de ses méthodes et de ses horaires, en fait, le monopole de la collation des grades l'oblige à s'aligner sur les programmes, les méthodes et les horaires de l'enseignement public. Par exemple, l'accès aux études supérieures est subordonné à la possession du grade de bachelier de l'enseignement secondaire qui est uniquement décerné par l'Etat à la suite d'un examen organisé par lui, sur un programme établi par lui. Bon gré, mal gré, la préparation à cet examen commande l'orientation générale de l'enseignement dans les établissements qui en assument la charge. Ces établissements, s'ils sont privés, sont bien, en droit, maîtres de leurs programmes comme de leurs méthodes ; et tels d'entre eux peuvent imiter des méthodes didactiques ou éducatives en usage dans certains pays,

(1) Il en est de même pour les établissements d'enseignement secondaire privés ; la loi leur interdit de s'appeler lycées.

d'autres introduire dans leur enseignement des préoccupations d'ordre religieux. Mais en pratique, tenus, pour donner satisfaction à leur clientèle, de préparer aux diplômes d'Etat, ils sont obligés de suivre, au moins dans leurs grandes lignes, les programmes officiels et, le plus souvent aussi, les méthodes de l'enseignement public.

Un tel système, spécial à la France, concilie jusqu'à un certain point les devoirs de l'Etat et la liberté des familles. Dans la mesure où il considère comme un devoir envers les citoyens de donner à chacun les moyens de s'instruire, l'Etat s'oblige à instituer et à entretenir des établissements d'enseignement ouverts à tous. Mais dès lors qu'au lieu de se fonder sur cette obligation pour établir à son profit le monopole de l'enseignement, il laisse à tout père de famille la liberté de faire instruire ses enfants par des établissements privés, sur l'organisation desquels ne s'exerce pas son autorité, les devoirs de l'Etat trouvent leur limite dans cette liberté : ils ne sauraient aller au delà des charges qu'il assume par l'institution d'établissements publics fonctionnant d'après les principes laïques selon lesquels la nation s'est elle-même organisée, c'est-à-dire des établissements étrangers à toute confession religieuse.

A l'égard des établissements privés qu'on appelle « libres » pour la seule raison qu'ils sont affranchis des règles imposées aux établissements publics, l'Etat, sous peine d'en altérer le caractère, ne peut donc imposer son contrôle que par l'exercice d'un droit : celui de n'accorder sa caution à l'enseignement qu'ils donnent qu'après l'avoir soumis à l'épreuve des examens institués pour sanctionner l'enseignement donné dans ses propres établissements (1). Ce droit découle de ses devoirs envers la société dans la mesure même où celle-ci exige de ceux qui veulent entrer à son service certaines garanties

---

(1) Ce contrôle ne compense que superficiellement la choquante anomalie résidant dans le fait que l'Etat exige des maîtres qui enseignent dans les établissements publics des diplômes, des titres et des garanties dont la loi dispense les maîtres de l'enseignement privé.

de culture. Tout autre mode de coexistence des deux enseignements ne pourrait aboutir qu'à un abandon de leur liberté, de la part des établissements privés, et des principes laïques de neutralité, de la part de l'Etat (1).

Dans les grands débats du milieu du XIXe siècle, de Montalembert, de Falloux, Fortoul, le P. Lacordaire ne demandaient à l'Etat que de supprimer le monopole et de légaliser de la liberté l'enseignement. Au milieu du XXe siècle, nous entendons des voix s'élever pour lui demander de transformer cette liberté pure et simple en une liberté subventionnée ce qui, outre le paradoxe d'un Etat ouvrant généreusement son budget à quiconque préfère utiliser un service privé aux lieu et place d'un service public, implique un aveu grave de la part de l'enseignement privé, à savoir, qu'il a perdu en grande partie le dynamisme et la force d'attraction qu'il avait il y a cent ans (2).

Il est fâcheux qu'une société en soit à ce point que des établissements communs d'instruction et d'éducation publiques ne puissent indifféremment recueillir tous les enfants du pays. On pourra toujours opposer le droit de l'Etat et le droit du père de famille, le droit de la religion et le droit de la pensée libre. A cause même de cette opposition théorique-

(1) La loi du 30 décembre 1959 sur les rapports entre l'enseignement privé et l'Etat prévoit que les établissements d'enseignement privés peuvent demander soit leur intégration dans l'enseignement public, soit un contrat d'association, soit un contrat simple et obtenir ainsi, sous certaines conditions, le concours financier de l'Etat. Cette loi ne s'applique pas à l'enseignement supérieur. Le problème qu'on entendait résoudre demeure donc entier et nos observations restent valables tant que les maîtres de l'enseignement privé n'offrent pas les mêmes garanties de qualification que ceux de l'enseignement public. Dans une démocratie qui veut donner à la jeunesse l'égalité des chances pour sa formation, il ne saurait y avoir de place pour des maîtres d'inégale valeur professionnelle.

(2) En 1948-1949, on comptait à peine, dans les Facultés de l'enseignement supérieur privé, sept mille neuf cent quatre-vingt-dix-neuf étudiants, contre cent dix-sept mille deux cent quatre-vingt-seize dans les Facultés de l'enseignement supérieur public. En 1958-1959, le nombre des étudiants, dans les Facultés publiques, était de cent quatre-vingt-douze mille cent vingt-huit contre douze mille neuf cent cinquante-huit dans les Facultés privées. Ajoutons que, sur ces douze mille neuf cent cinquante-huit étudiants, sept mille deux cent quatre-vingt-neuf étaient en même temps inscrits dans les Facultés publiques.

ment irréductible, la solution pratique, la solution humaine ne semble pouvoir être cherchée que dans l'institution d'un système d'éducation nationale fondé sur un égal respect de toutes les opinions religieuses, philosophiques et politiques, c'est-à-dire capable d'unir les esprits autour de ce que la civilisation a de commun, d'universel et de meilleur. On ne saurait la trouver dans l'institution d'un pluralisme scolaire qui, dans la mesure même où il voudrait être le fidèle reflet de la diversité des familles spirituelles, serait fatalement condamné à peser sur la nature de l'enfant, à la restreindre et à la diriger pour finalement l'enfermer dans le moule rigide d'une doctrine ou d'un parti.

Cette solution est-elle possible ? L'avenir nous le dira. Pour l'instant, il convient d'avoir toujours présent à l'esprit le dualisme scolaire établi par les lois de 1850, 1875, 1880 et 1886, si l'on veut comprendre le caractère des institutions universitaires françaises, tant en ce qui concerne leur organisation administrative et pédagogique qu'en ce qui concerne la raison d'être et le fonctionnement des divers examens et concours qui servent, soit à recruter le personnel, soit à sélectionner les élèves, soit à sanctionner les études. Peut-être même l'historien et le sociologue estimeront-ils que, jusqu'à un certain point, ce dualisme a contribué, sans le vouloir, à l'établissement en France d'un ample réseau d'institutions universitaires dont on ne trouve l'équivalent dans aucun autre pays et grâce auquel se sont développées, dans le corps enseignant des établissements publics, les solides traditions d'indépendance et de probité qui lui permettent de résister avec succès — la sombre période de 1940-1944 en a fourni la preuve — à toute tentative d'asservissement intellectuel.

Quoi qu'il en soit, libéré des contraintes que tout monopole totalitaire porte dans ses flancs, n'admettant d'autres règles que celles qui découlent de la science, de la raison et du respect de l'homme, uniquement préoccupé de doter le futur citoyen de tous les moyens de se décider en pleine indépendance quand sonnera l'heure du choix, un tel système scolaire, parvenu à ce stade élevé de son évolution, a seul le droit de se dire vraiment national et, plus encore, vraiment humain.

TABLEAU DES UNIVERSITÉS FRANÇAISES

I. — Université de Paris
à la Sorbonne, 4, rue des Ecoles, Paris (5e)

Issue du besoin qu'éprouvèrent, au cours de second tiers du XIIe siècle, les maîtres et les étudiants des écoles de Paris de se grouper sous le vocable : *Universitas magistrorum et scholarium Parisiensium*, en une corporation composée des Facultés et des Collèges des Nations, l'Université de Paris obtint, en 1200, du pouvoir royal, puis du Saint-Siège, en 1215, les privilèges qui en firent un corps autonome dirigé, à partir de 1245, par un recteur. En 1627, Richelieu, proviseur de Sorbonne depuis 1624, l'installa dans les bâtiments de ce collège fondé, en 1257, par le théologien Robert de Sorbon.

Elle comprend actuellement : la Faculté de Droit et des Sciences économiques (12, place du Panthéon), la Faculté de Médecine (12, rue de l'Ecole-de-Médecine), la Faculté des Sciences (1, rue Victor-Cousin), la Faculté les Lettres et Sciences humaines (47, rue des Ecoles), la Faculté de Pharmacie (4, avenue de l'Observatoire), l'Ecole nationale de Médecine et de Pharmacie de Reims, l'Ecole normale supérieure (45, rue d'Ulm), les Instituts d'Université : Institut d'Etudes politiques, Institut de Démographie, Institut d'Etudes du Développement économique et social, Institut de Droit comparé, Institut d'Administration des Entreprises, Institut d'Education physique, Institut du Cancer (Gustave-Roussy), Institut de Biologie clinique, Institut de Statistique, Institut d'Ethnologie, Institut de Psychologie, Institut d'Etudes iraniennes, Institut d'Art et d'Archéologie, Institut de Musicologie, Institut de Pédiatrie sociale, Institut des Sciences sociales du Travail, Institut d'Histoire des Sciences et des Techniques, Institut de Phonétique, Institut des Hautes Etudes chinoises, Institut de Civilisation indienne, Institut d'Etudes islamiques et Centre d'Etudes de l'Orient contemporain, Institut d'Etudes byzantines et néohelléniques, Institut d'Etudes scandinaves, Institut d'Etudes sémitiques, Institut d'Etudes germaniques, Institut d'Etudes hispaniques, Institut d'Etudes slaves, Institut d'Etudes japonaises, Institut d'Etudes turques, Institut des Hautes Etudes de l'Amérique latine, Institut d'Urbanisme,

Institut de Filmologie, Institut de Géographie et Ecole supérieure de Cartographie géographique, Institut français de Presse, Ecole supérieure d'Interprètes et de Traducteurs ; les Instituts de Criminologie, de Droit romain, des Sciences juridiques et financières appliquées aux Affaires, des Hautes Etudes internationales rattachés à la Faculté de Droit et des Sciences économiques ; les Instituts de Puériculture, de Médecine tropicale, de Médecine légale, de Parasitologie, d'Hygiène et de Médecine du Travail, de Stomatologie, d'Anesthésiologie, de Documentation ophtalmologique, de Diététique, de Progenèse, de Radiologie cellulaire et d'Histochimie, les Ecoles de Malariologie, de Puériculture, de Sérologie, rattachés à la Faculté de Médecine ; les Instituts d'Optique théorique et appliquée, de Biologie maritime, de Mécanique, de Physique du globe, l'Institut aérotechnique, l'Institut de Calcul Henri-Poincaré, l'Ecole supérieure des Sciences de Reims, l'Institut de Préparation aux Enseignements du second degré, l'Ecole nationale supérieure de Chimie, l'Ecole supérieure de Physique et Chimie industrielles de la Ville de Paris, l'Ecole des Sciences de Reims, rattachés à la Faculté des Sciences ; les Instituts d'Histoire de la Révolution française, de Langue et Littérature françaises, de Littératures modernes comparées, des Langues romanes, de Linguistique, d'Histoire économique et sociale, de Papyrologie, d'Etudes latines, de Langue, Littérature et Civilisation anglaises et nord-américaines, d'Etudes italiennes, d'Etudes portugaises et brésiliennes, d'Etudes roumaines, d'Epigraphie grecque, de Préparation aux enseignements du second degré, le Centre de Recherches sur la Civilisation de l'Europe moderne, l'Ecole supérieure de Préparation et de Perfectionnement des professeurs français à l'étranger, rattachés à la Faculté des Lettres et des Sciences humaines ; le Centre des Hautes Etudes administratives sur l'Afrique et l'Asie modernes, le Centre français de Droit comparé, le Cours de Civilisation française, etc.

II. — Université d'Aix-Marseille

(42, rue Victor-Leydet, Aix-en-Provence
et 25, rue Sylvabelle, Marseille)

Elle fut organisée à Aix, sous le titre d'Université de Provence, par lettres patentes de Louis XII au début du XVIᵉ siècle. En 1896, les diverses Facultés d'Aix et de Marseille furent groupées pour former l'Université d'Aix-Marseille qui comprend à *Aix-en-Provence*, la Faculté de Droit et des Sciences économiques, la Faculté des Lettres et Sciences humaines, l'Institut d'Etudes politiques, le Centre d'Etudes des Relations sociales, l'Institut d'Administration des Entreprises, l'Institut de Sciences pénales et de Criminologie, l'Institut d'Etudes françaises pour étudiants étrangers, l'Institut pédagogique et Centre régional d'Education physique et sportive ; à *Marseille*, la Faculté mixte de Médecine et de Pharmacie, la Faculté des Sciences et l'Institut de Médecine et de Pharmacie tropicales, l'Institut régional d'Education physique, l'Institut d'Hygiène tropicale et Médecine sociale, l'Institut de Médecine légale, de Médecine du Travail et d'Hygiène industrielle, l'Institut de Biométrie humaine et d'Orientation professionnelle, l'Institut de Phytopharmacie, l'Institut de Recherches et d'Applications médicales des isotopes radioactifs, l'Institut de Pédiatrie et de Puériculture, l'Institut d'Odonto-stomatologie, le Muséum d'Histoire naturelle et le Jardin botanique, l'Institut de Mécanique des fluides, le Laboratoire de Mécanique statistique de l'atmosphère, l'Observatoire de Marseille, le Musée colonial, le Laboratoire national des Matières grasses, l'Institut d'Etudes scientifiques, la Station marine d'Endoume, le Centre de Recherches scientifiques, industrielles et maritimes de Marseille, l'Ecole de Chimie ; à *Nice*, le Centre universitaire méditerranéen, l'Institut d'Etudes juridiques, l'Institut d'Etudes scientifiques, l'Institut d'Etudes littéraires.

III. — Université d'Alger
(Palais de l'Université, rue Michelet, Alger)

Créée par la loi du 20 décembre 1879 alors qu'il n'existait à Alger que des écoles d'Enseignement supérieur qui furent transformées en Facultés en 1909. L'Université d'Alger comprend : la Faculté de Droit et des Sciences économiques, la Faculté mixte de Médecine et de Pharmacie, la Faculté des Sciences, la Faculté des Lettres et Sciences humaines et les Instituts suivants : de Recherches sahariennes, d'Urbanisme, d'Etudes supérieures islamiques, d'Etudes philosophiques, d'Ethnologie, d'Etudes politiques, de Préparation aux Affaires, d'Hygiène et de Médecine d'outre-mer, de Psychotechnique et de Biométrie, d'Education physique et des Sports, d'Etudes nucléaires, de l'Energie solaire, de Météorologie et de Physique du globe, d'Etudes juridiques d'Oran, d'Etudes juridiques de Constantine, d'Odonto-Stomatologie, du Trachome et d'Ophtalmologie tropicale, de Géographie, d'Etudes orientales, de Préparation aux Enseignements du second degré, l'Ecole de Chimie, le Centre de Promotion supérieure du Travail, l'Observatoire d'Ager-Bouzareah.

IV. — Université de Besançon
(10, rue de la Convention, Besançon)

Fondée à Dôle par P. Le Bon en 1422, sous le titre d'Université de Franche-Comté, elle fut transférée à Besançon, en 1691. Elle comprend : la Faculté des Sciences, la Faculté des Lettres et Sciences humaines, l'Ecole nationale de Médecine et de Pharmacie et les Instituts suivants : de Chronométrie, de Chimie, d'Etudes comtoises et jurassiennes, d'Etudes du Vocabulaire français, de Langue et Civilisation françaises, Dentaire, d'Education physique, le Centre de Documentation et de Bibliographie philosophiques, le Jardin botanique, l'Observatoire national, Institut dentaire.

V. — Université de Bordeaux
(20, cours d'Albret, Bordeaux)

Sur l'initiative de l'archevêque Py Berland, une bulle du pape Eugène IV créa, en 1441, à Bordeaux, une Université dotée de cinq Facultés qui, dès le début du xvie siècle, passèrent sous le contrôle et la direction de l'Etat. L'Université comprend : la Faculté de Droit et des Sciences économiques, la Faculté de Médecine et de Pharmacie, la Faculté des Sciences, la Faculté des Lettres et Sciences humaines et les Instituts suivants : d'Etudes politiques, d'Etudes juridiques, politiques et économiques de *Fort-de-France* (Martinique), de Préparation à l'Administration des Entreprises, de Biologie marine, d'Education physique, de Médecine du travail, de Préhistoire, d'Etudes ibériques et ibéro-américaines, d'Etudes françaises pour étudiants étrangers, d'Etudes démographiques, d'Etudes psychologiques et psychosociales, de Sciences humaines appliquées, de Droit pénal, des Techniques économiques, pratique de Droit, du Pin, Laboratoire des Corps gras, Laboratoire d'Essai des métaux, Ecole de Radioélectricité, Ecole nationale supérieure de Chimie, Institut de Préparation aux enseignements du second degré, Observatoire de l'Université, Station agronomique et œnologique, Ecole supérieure d'Œnologie et à *Pau* l'Institut d'Etudes juridiques et économiques, l'Institut des Lettres et le Collège scientifique universitaire.

VI. — Université de Caen
(168, rue Caponière, Caen)

Instituée sous l'occupation anglaise, en 1432, par une charte du régent Bedford, sous l'appellation de *Studium gene-*

rale et sur le modèle de l'Université de Paris, l'Université de Caen fut, malgré l'opposition du clergé, maintenue par une ordonnance de François Ier en 1532. Ses bâtiments détruits au cours des combats de 1944 ont été soigneusement reconstruits et richement équipés. Elle comprend : la Faculté de Droit et des Sciences économiques, la Faculté des Sciences, la Faculté des Lettres et Sciences humaines, l'Ecole nationale de Médecine et de Pharmacie avec le Séminaire d'Histoire du Droit normand, l'Institut commercial de Normandie, l'Institut de Chimie, l'Institut technique de Normandie, le Centre régional d'Education physique ; à *Rouen*, l'Ecole nationale de Médecine et de Pharmacie, le Collège scientifique universitaire, l'Institut national supérieur de Chimie industrielle, l'Institut des Lettres et Sciences humaines et au *Mans*, Collège scientifique universitaire.

VII. — Université de Clermont-Ferrand
(3, avenue Vercingétorix, Clermont-Ferrand)

Elle date de 1810, époque à laquelle furent créées à Clermont une Faculté des Sciences et une Faculté des Lettres supprimées en 1815 puis définitivement rétablies en 1854 en y adjoignant une Ecole de Médecine et de Pharmacie. Elle comprend : la Faculté de Droit et des Sciences économiques, la Faculté mixte de Médecine et de Pharmacie, la Faculté des Sciences, la Faculté des Lettres et Sciences humaines et les Instituts suivants : d'Hydrologie, d'Education physique, de Chimie, d'Etudes du Massif Central, Institut et Observatoire de Physique du Globe du Puy-de-Dôme.

VIII. — Université de Dijon
(2, rue Crébillon, Dijon)

L'édit royal de 1722, enregistré au Parlement de Bourgogne en 1723 et portant création « en la ville de Dijon » d'une « faculté des droits », eut pour résultat l'institution d'une Université qui absorba l'Académie des Sciences, des Arts et des Belles-Lettres datant du XVIIe siècle. La Faculté de Droit de Dijon est la deuxième, en France, qui fut rétablie en 1804, celles des Lettres et des Sciences furent instituées en 1808. L'Université de Dijon comprend : la Faculté de Droit et des Sciences économiques, la Faculté des Lettres et Sciences humaines, la Faculté des Sciences, l'Ecole nationale de Médecine et de Pharmacie et les Instituts suivants : de Droit comparé, d'Economie régionale, de Préparation aux Affaires, de Préparation aux enseignements du second degré, la Société pour l'Histoire du droit et des institutions des anciens pays bourguignons, comtois et romands, le Centre d'Etudes des Relations politiques, le Centre de Préparation au certificat d'aptitude à l'administration des entreprises, le Centre de Préparation au certificat d'aptitude à la profession d'avocat, l'Ecole de Notariat, l'Institut de Géographie, le Centre d'Etudes bourguignonnes, le Centre régional d'Education physique et sportive.

IX. — Université de Grenoble
(7, place Bir-Hakeim, Grenoble)

Tandis que le pape d'Avignon fondait par une bulle, en 1439, un *Studium generale* à Grenoble, Valence créait, en 1452, une Université pour l'enseignement du Droit, de la Médecine et des Arts libéraux. En 1565 le *Studium generale* de Grenoble était réuni par lettres patentes à l'Université de Valence. Ce n'est qu'au moment de la création de l'Université impériale que Grenoble put établir sa suprématie. L'Université de Grenoble comprend : la Faculté de Droit et des Sciences économiques, la Faculté des Sciences, la Faculté des Lettres et Sciences humaines, l'Ecole nationale de plein exercice de Médecine et de Pharmacie et les Ecoles et Instituts suivants : Ecole nationale supérieure d'Electrotechnique, d'Hydraulique et de Radioélectricité, Ecole nationale supérieure d'Electrochimie et d'Electrométallurgie, Ecole d'Ingénieurs électroniciens, Ecole française de Papeterie, Instituts d'Etudes commerciales, d'Etudes politiques, Institut économique et juridique de l'Energie, Institut d'Etudes sociales, Institut d'Etudes judiciaires, Centre de Préparation à la gestion des entreprises, Institut de la Promotion supérieure du travail, Institut de Radioisotopes, Ecole d'été de Physique théorique, Instituts de Géographie alpine, de Phonétique, de Psychologie, de Préparation aux enseignements du second degré, Laboratoires d'essais et Etalonnages électriques, des Essais mécaniques et physiques, de Mécanique des fluides, de Calcul numérique, de Détection sous-marine, et à *Chambéry*, l'Ecole préparatoire à l'Enseignement supérieur des sciences et des Lettres qui prépare, sous le contrôle de l'Université de Grenoble, à un certain nombre de certificats d'études supérieures.

X. — Université de Lille
(29, rue des Jardins et 22, rue Saint-Jacques, à Lille)

Héritière de l'Université fondée à Douai par Philippe II d'Espagne et le pape Paul IV en 1559. La Faculté de Médecine

s'installa la première à Lille en 1805 sous forme d'Ecole
de Médecine, puis la Faculté des Sciences avec Louis Pas-
teur comme premier doyen, en 1854, enfin la Faculté de
Droit en 1887 et la Faculté des Lettres en 1895. L'Université
de Lille comprend : la Faculté de Droit et des Sciences économiques, la Faculté mixte de Médecine et de Pharmacie, la
Faculté des Sciences, la Faculté des Lettres et Sciences
humaines et les Instituts suivants : des Sciences du Travail, de
Préparation aux Affaires, d'Education physique, de Médecine
légale et de Médecine sociale, de Mécanique des fluides, agricole
du Nord de la France, d'expansion universitaire, d'Orientation
professionnelle, des Techniques économiques, de Criminologie,
d'Economie régionale, d'Hygiène scolaire et universitaire,
d'Odonto-Stomatologie, de Mathématiques, d'Astronomie, de
Physique, de Chimie, de Botanique, d'Essais de semences
et de Recherches agricoles, de Zoologie, de Zoologie appliquée, de Géologie appliquée, de la Houille, d'Astronomie,
Ecole nationale supérieure de Chimie, Institut radiotechnique,
Institut électromécanique, Centre régional d'Etudes historiques, Centre d'Etudes géographiques, Centre départemental
d'Education ouvrière, Centre universitaire de Formation et de
Perfectionnement administratifs.

XI. — Université de Lyon
(30, rue Cavenne, Lyon)

On trouve à Lyon un centre de culture dès l'époque caro-
lingienne. Mais, de la Renaissance jusqu'à la création de l'Université impériale, Lyon est presque exclusivement un Centre
d'études chirurgicales et médicales. C'est en 1810 que les Facultés des Lettres, des Sciences et de Théologie y furent instituées. La Faculté de Droit ne fut créée qu'en 1875. L'Université
de Lyon comprend : la Faculté de Droit et des Sciences économiques, la Faculté mixte de Médecine et de Pharmacie, la
Faculté des Sciences, la Faculté des Lettres et des Sciences
humaines et les Instituts suivants : de Médecine du travail,
d'Education physique et sportive, d'Etudes politiques, des
Etudes économiques, de Droit comparé, des Sciences administratives, d'Etudes de la population et des Relations internationales, de Droit du travail et de Sécurité sociale, d'Hydrologie
thérapeutique et climatologie, de Médecine sociale, de Stomatologie, de Recherche et d'Expérimentation cardio-vasculaires,
le Centre de Recherches biologiques et cliniques pour les
greffes cutanées, l'Ecole de Kinesthésie, les Instituts : de
Science financière et d'assurances, des Etudes rhodaniennes,

de Géographie, d'Archéologie classique, d'Antiquités nationales, d'Art médiéval et moderne, d'Egyptologie, l'Institut
franco-chinois, l'Ecole supérieure de Chimie industrielle,
l'Ecole pratique de Psychologie et de Pédagogie, l'Ecole centrale lyonnaise, l'Ecole française de Tannerie, l'Ecole supérieure des Industries textiles, l'Institut national des Sciences
appliquées à Villeurbanne, l'Ecole supérieure des Lettres à
Beyrouth, l'Institut des Lettres orientales à Beyrouth, l'Institut de Géographie du Proche et Moyen-Orient.

XII. — Université de Montpellier
(2, rue Faubourg-Saint-Jammes, Montpellier)

L'existence, à Montpellier, d'un *Studium generale* fut reconnue, en 1289, par une bulle du pape Nicolas IV. C'est
surtout de sa fameuse Ecole de Médecine que l'Université de
Montpellier tira, pendant des siècles, sa réputation. Au
XVIe siècle, elle fut, en outre, un des plus ardents foyers de la
Renaissance : elle compta, à cette époque, Rabelais parmi
ses élèves. Elle comprend actuellement les cinq Facultés (Droit et
Sciences économiques, Médecine, Sciences, Lettres et Sciences
humaines, Pharmacie) et les Instituts suivants : de Prépara-
tion aux Affaires, d'Etudes juridiques et économiques des
Pyrénées-Orientales, de Science criminelle, du Travail et de
Formation syndicale, d'Etudes judiciaires et de Préparation
au barreau, d'Etudes viticoles, d'Etudes des pays de la
Communauté, d'Etudes économiques et sociales du Languedoc-
Roussillon, de Biologie, de Recherches hématologiques et de
Transfusion sanguine, de Médecine légale et Médecine sociale,
l'Institut Bouisson-Bertrand doté de sept laboratoires différents, les Instituts : de Botanique, de Pharmacie industrielle,
des Etudiants étrangers, d'Etudes supérieures d'Archéologie
méditerranéenne, d'Etudes littéraires à Perpignan, l'Ecole
nationale supérieure de Chimie, le Collège scientifique universitaire à Perpignan, la Station biologique de Sète.

XIII. — Université de Nancy
(13, place Carnot, Nancy)

Héritière de l'Université de Pont-à-Mousson fondée en 1572
par le duc de Lorraine, Charles III, et transférée à Nancy en
1769. L'Université comprend les cinq Facultés (Droit et
Sciences économiques, Médecine, Sciences, Lettres et Sciences
humaines, Pharmacie) et les écoles, centres et instituts suivants : Centre européen universitaire, Centre universitaire de

Coopération économique et sociale, Centre de Calcul automatique, Institut régional d'Education physique, Institut commercial, Centre universitaire d'Etudes politiques, Centre de Recherches et de Documentation économiques, Centre de Préparation à l'administration des entreprises, Centre de Droit social, Centre lorrain d'Histoire du droit, Institut de Criminologie, Institut de Démographie, Institut dentaire, Institut anatomique, Institut régional d'Hygiène, Institut d'Hydrologie thérapeutique et de Climatologie, Institut médico-légal, Institut agricole, Institut botanique, Institut de Minéralogie, Institut de Physique, Institut de Zoologie-Physiologie, Ecole de Laiterie, Ecole de Brasserie et de Malterie, Centre Elie-Carton, Ecole nationale supérieure d'Electricité et de Mécanique, Ecole nationale supérieure de Géologie appliquée et de Prospection minière, Ecole nationale supérieure des Industries chimiques, Ecole nationale supérieure de la Métallurgie et de l'Industrie des Mines.

XIV. — Université de Poitiers
(5, rue de la Traverse, Poitiers)

Elle fut instituée en 1431-1432, pour des raisons d'ordre politique, au milieu des circonstances troublées qui ont marqué les dernières décades de la guerre de Cent ans. Joachim du Bellay, Guez de Balzac, Rabelais, Descartes, le philosophe anglais Francis Bacon y furent élèves. Elle comprend à *Poitiers* : les Facultés (Droit et Sciences économiques, Sciences, Lettres et Sciences humaines), l'Ecole nationale de Médecine et de Pharmacie, les écoles, centres et instituts suivants : Centre d'Etudes supérieures de Civilisation médiévale, Centre de Législation et d'Economie rurales, l'Institut des Sciences criminelles, l'Institut de Préparation à l'Administration des Entreprises du Centre-Ouest, l'Institut de Mathématiques, l'Institut de Géologie et d'Anthropologie préhistorique, la Station de Biologie végétale, l'Institut d'Etudes régionales, l'Institut d'Action universitaire, l'Ecole nationale supérieure de Mécanique et d'Aérotechnique, le Centre régional d'Education physique et sportive ; à *Limoges*, l'Ecole de Droit, l'Ecole nationale de plein exercice de Médecine et de Pharmacie, le Collège scientifique universitaire d'Arsonval ; à *Tours*, l'Ecole de Droit, l'Ecole nationale de Médecine et de Pharmacie, le Collège scientifique universitaire, l'Institut des Lettres, le Centre d'Etudes supérieures de la Renaissance, l'Institut d'Etudes françaises pour les étrangers.

XV. — Université de Rennes
(19, boulevard Sévigné, Rennes)

Ses origines remontent à l'institution, en 1461, de l'Université de Nantes dont elle est l'héritière. L'Université de Rennes comprend : à *Rennes*, la Faculté de Droit et des Sciences économiques, la Faculté mixte de Médecine et de Pharmacie, la Faculté des Sciences, la Faculté des Lettres et Sciences humaines, les écoles et instituts suivants : d'Administration des entreprises, des Hautes Etudes administratives et sociales, de Droit comparé, de Recherches historiques, économiques et humaines, l'Ecole de Chirurgie dentaire et de Stomatologie, le Centre d'Etudes psychotechniques, l'Ecole nationale supérieure de Chimie ; à *Brest*, le Collège scientifique universitaire ; à *Nantes*, la Faculté de Médecine et de Pharmacie, la Faculté des Sciences créée par décret en juillet 1959, l'Institut de Droit, l'Institut d'enseignement supérieur des Lettres, l'Institut d'Odontologie, l'Ecole nationale supérieure de Mécanique ; à *Angers*, l'Ecole nationale de Médecine et de Pharmacie, le Collège scientifique universitaire.

XVI. — Université de Strasbourg
(6, rue de la Toussaint, Strasbourg)

Le gymnase créé en 1528 par l'humaniste Sturm, transformé en Académie en 1566, fut élevé à la dignité d'Université par privilège impérial en 1621, Louis XIV, en 1681, lors de la réunion de Strasbourg à la France, confirma ce privilège. L'Université de Strasbourg comprend : les Facultés de Droit et des Sciences économiques, de Médecine, de Sciences, des Lettres et Sciences humaines, de Pharmacie, de Théologie catholique, de Théologie protestante, les écoles, les centres et instituts suivants : Institut de Droit canonique, Centre d'Etudes germaniques, Centre universitaire des Hautes Etudes européennes, Institut d'Etudes politiques, Institut de Mathématiques, Laboratoire de Mécanique des fluides, Institut de Physique du Globe, Institut de Physique, Laboratoire de Chimie nucléaire, Institut de Botanique et Jardin de Botanique, Institut de Zoologie et de Biologie générale, Institut des Sciences géologiques, Service de la Carte géologique d'Alsace et de Lorraine, Laboratoire de Chimie biologique, Laboratoire de Physiologie générale, Centre de Calcul électronique, Centres du Troisième Cycle (mécanique quantique, physique nucléaire, physico-chimie, macromoléculaire, chimie nucléaire, chimie physique du corps solide, psychologie animale, endocrinologie, sciences du sol), Institut de Préparation aux Enseignements du second degré, Collèges scientifiques universitaires de Mulhouse et de Metz, les Instituts : de Philosophie, de Psychologie, d'Etudes françaises modernes, de Philologie classique, de Langue et Littérature françaises, de Philologie romane, de Littératures modernes comparées, de Langues méridionales, d'Allemand, d'Anglais, de Langues et Littératures slaves, d'Archéologie classique, d'Histoire de l'Art, d'Archéologie et d'Histoire de l'Art de l'Est européen (Byzance et Asie Mineure), d'Histoire ancienne, d'Histoire du Moyen-Age, d'Histoire moderne, d'Histoire contemporaine, d'Histoire des Religions, d'Antiquités nationales et rhénanes, d'Histoire d'Alsace, d'Histoire de la Musique, de Géographie, de Linguistique générale et d'Orientalisme, d'Egyptologie, d'Etudes françaises modernes pour étudiants étrangers, de Phonétique, Ecole nationale supérieure de Chimie, Observatoire, Centre régional d'Education physique et sportive.

XVII. — UNIVERSITÉ DE TOULOUSE
(20, rue Saint-Jacques, à Toulouse)

Son institution remonte au traité de Paris du 12 avril 1229 qui, pour extirper l'hérésie des Cathares, obligea le comte Raymond VII à entretenir à Toulouse quatre maîtres en théologie, deux maîtres en droit canon, six maîtres ès arts libéraux et deux grammairiens. L'Université de Toulouse comprend : les Facultés de Droit et des Sciences économiques, de Médecine et de Pharmacie (mixte), des Sciences, des Lettres et Sciences humaines et les écoles et instituts suivants : Instituts de Psychologie, d'Etudes politiques, d'Art préhistorique, d'Etudes hispaniques, hispano-américaines et luso-brésiliennes, de Droit comparé des pays latins, de Criminologie et de Sciences pénales, des Techniques économiques, de Préparation aux Affaires, de Législation et d'Economie rurales, d'Etudes internationales et des pays en voie de développement, de Médecine du travail et d'Hygiène industrielle, de Puériculture, d'Education physique, de Mécanique des fluides, de Génie chimique, de Physiologie, Ecole nationale supérieure d'Electrotechnique, d'Electronique et d'Hydraulique, Ecole nationale supérieure de Chimie, Ecole nationale supérieure agronomique, Institut normal d'Etudes françaises, Institut d'Etudes méridionales, Ecole de Notariat.

LISTE RÉCAPITULATIVE
DES GRANDS ÉTABLISSEMENTS OFFICIELS D'ENSEIGNEMENT SUPÉRIEUR (1)

Outre les facultés, les écoles et les instituts que nous avons mentionnés dans le Tableau des Universités françaises, l'enseignement supérieur comprend :

1° *Des établissements officiels de haute culture dont les plus importants sont les suivants :*

Collège de France (1530), 11, place Marcellin-Berthelot, Paris (5e) ;

Muséum d'Histoire naturelle (1626), 57, rue Cuvier, Paris (5e) ;

Observatoire de Paris (1667-1672), avenue de l'Observatoire, Paris (14e) ;

Bureau des Longitudes (1795) au palais de l'Institut de France, 3, rue Mazarine, Paris (6e) ;

Ecole nationale des Langues orientales vivantes (1795), 2, rue de Lille, Paris (7e) ;

Ecole nationale des Chartes (1821), 19, rue de la Sorbonne, Paris (5e) ;

Ecole pratique des Hautes Etudes (1868), à la Sorbonne, 45, rue des Ecoles, Paris (5e) ;

Conservatoire national des Arts et Métiers (1794), 292, rue Saint-Martin, Paris (3e) ;

Fondation nationale des Sciences politiques (1945), 23, rue Saint-Guillaume, Paris (7e) ;

2° *Les établissements du Centre national de Recherche scientifique :*

Laboratoire de Synthèse atomique (1937), 67, rue Franklin, Ivry (Seine) ;

Laboratoires de Bellevue (1922), 1, place Aristide-Briand, Bellevue (Seine-et-Oise) ;

(1) Les millésimes entre parenthèses indiquent les dates de fondation.

Laboratoire du grand électro-aimant de l'Académie des Sciences et des basses températures, 1, place Aristide-Briand, Bellevue (Seine-et-Oise) ;

Laboratoire central des Traitements chimiques, 15, rue G.-Urbain, Vitry (Seine) ;

Observatoire de Haute-Provence, à Saint-Michel (Basses-Alpes) ;

Service d'Astrophysique, 13, quai Anatole-France, Paris (7e) ;

Laboratoire de Biométrie (1937), 10, rue Vauquelin, Paris (5e) ;

Laboratoire de Micro-analyse organique, 10, rue Vauquelin, Paris (5e) ;

Institut d'Astrophysique (1936), 98 *bis*, boulevard Arago, Paris (14e) ;

Centre d'élevage des Animaux de laboratoire, 49, avenue de Saint-Maurice, Paris (12e) ;

Institut de Recherche et d'Histoire des textes (1937), 87, rue Vieille-du-Temple, Paris (3e) ;

Inventaire général de la Langue française (1936), 33, quai de la Tournelle, Paris (5e) ;

Centre de Documentation (1940), 18, rue Pierre-Curie, Paris (5e) ;

Centre de Recherches scientifiques industrielles et maritimes, 66, rue Saint-Sébastien, Marseille ;

Palais de la Découverte (1937), avenue Franklin-Roosevelt, Paris (8e) ;

Laboratoire de Physiologie de la Nutrition, 16, rue de l'Estrapade, Paris (5e) ;

Centre d'Etudes de l'Energie thermique des Mers, 8, rue Paul-Baudry, Paris (8e) ;

Centre d'Etudes hydrobiologiques, 1, rue Victor-Cousin, Paris (5e) ;

Centre d'Etudes et de Recherches de Chimie organique appliquée, 12, rue Cuvier, Paris (5e) ;

Centre de Documentation cartographique, 191, rue Saint-Jacques, Paris (5e) ;

Centre supérieur d'Etudes mécaniques, 13, quai d'Orsay, Paris (7e) ;

Laboratoires de Gif-sur-Yvette (S.-et-O.) ;

Laboratoires de Sciences mathématiques, physiochimiques, biologiques et naturelles (à Paris : 21 ; en province : 23) ;

Institut du Cancer.

Centres de Sciences humaines à Paris (géographie, linguistique, études juridiques, sociologie, études historiques).

BIBLIOGRAPHIE SOMMAIRE

A. de BEAUCHAMP, *Recueil de lois et règlements de l'enseignemen supérieur*, Paris, Delalain, 1880-1915.

DELPECH (J.), *Statut du personnel enseignant et scientifique de l'enseignement supérieur*, Paris, Sirey.

— *Enquêtes et documents relatifs à l'enseignement supérieur* (publication du ministère), Paris, Imprimerie Nationale, 1883-1923.

— *Documents concernant l'expansion scientifique et universitaire de la France* (Bibliothèque de l'Office national des Universités), Paris, Presses Universitaires de France, 1923.

— *Atlas de l'enseignement en France* (Commission française pour l'enquête Carnegie sur les examens et concours), Paris, 1933.

AULARD (A), *Napoléon et le monopole universitaire, origine et fonctionnement de l'Université impériale*, Paris, A. Colin, 1911.

BONNEROT (J.), *La Sorbonne, sa vie, son rôle, son œuvre à travers les siècles*, Paris, Presses Universitaires de France, 1927.

CAVALIER (J.), *L'enseignement supérieur*, Paris, Institut international de Coopération intellectuelle, 1936.

COURNOT, *Des institutions d'instruction publique en France*, Paris, Hachette (1864).

FALCUCCI (M.), *L'humanisme dans l'enseignement secondaire*, Paris, Privat-Didier, 1936.

LANSON (G.), *L'université et la société moderne*, Paris, A. Colin, 1902.

LIARD (L.), *L'enseignement supérieur en France (1789-1893)*, 2 vol., Paris, A. Colin, 1888-1894.

— *Universités et facultés*, Paris, A. Colin, 1890.

LOT (F.), *Les facultés universitaires et la classification des sciences*, Paris, 1904.

MICHEL (H.), *La loi Falloux*, Paris, Hachette, 1906.

PIOBETTA (J.-B.) *Le baccalauréat de l'enseignement secondaire*, Paris, J.-B. Baillière & Fils, 1937.

RICHARD (C.), *L'enseignement en France*, Paris, A. Colin, 1925.

TASSY (E.) et LERIS (P.), *Les ressources du travail intellectuel en France*, Paris, Gauthier-Villars, 1921-1925.

VIAL (F.), *Trois siècles d'histoire de l'enseignement secondaire en France*, Paris, Delagrave, 1936.

Encyclopédie pratique de l'enseignement en France, S.E.D.E., Paris, 3, rue de Grenelle, 1960.

Revue de l'enseignement supérieur, 13, rue du Four, Paris (6e).

TABLE DES MATIÈRES

1961. — Imprimerie des Presses Universitaires de France. — Vendôme (France)
ÉDIT. N° 26-214   IMPRIMÉ EN FRANCE   IMP. N° 16 705